physica status solidi

VOLUME 2 · NUMBER 1 · 1962

AKADEMIE-VERLAG · BERLIN

Contents

1. Review Article

2. Original Papers

3. Short Notes

(listed on the last page of the issue)

4. Pre-printed Titles and Abstracts of Original Papers

to be published in this or in the Soviet journal „Физика Твердого Тела" (Fizika Tverdogo Tela).

physica status solidi

Volume 2 · Number 1 to 6

1962

AKADEMIE-VERLAG · BERLIN

Subscriptions and orders for single copies should be addressed to

AKADEMIE-VERLAG GmbH, Berlin W 8, Leipziger Straße 3—4 or to Buchhandlung KUNST UND WISSEN, Erich Bieber, Stuttgart S, Wilhelmstr. 4—6 or to Deutsche Buch-Export und Import GmbH, Leipzig C 1, Postschließfach 276

Schriftleiter und verantwortlich für den Inhalt: Professor Dr. Dr. h. c. P. Görlich, Berlin C 2, Neue Schönhauser Str. 20 bzw. Jena, Humboldtstr. 26. Redaktionskollegium: Dr. S. Oberländer, Dr. E. Gutsche, W. Borchardt. Anschrift der Schriftleitung: Berlin C 2, Neue Schönhauser Str. 20, Fernruf: 42 20 43. Verlag: Akademie-Verlag GmbH, Berlin W 8, Leipziger Str. 3—4, Fernruf: 22 04 41, Telex-Nr. 011 773, Postscheckkonto: Berlin 350 21. — Die Zeitschrift „physica status solidi" erscheint monatlich; Bezugspreis eines Heftes DM 6,—. Bestellnummer dieser Hefte 1068/2/1—6. Gesamtherstellung: VEB Druckerei „Thomas Müntzer" Bad Langensalza. — Veröffentlicht unter der Lizenznummer ZLN 5536 des Ministeriums für Kultur.

Contents

3. Short Notes

Author Index

physica status solidi

VOLUME 2 · NUMBER 1 · 1962

AKADEMIE-VERLAG · BERLIN

Contents

physica status solidi

Volume 2 · Number 1 · Pages 1 to 96 and K 1 to K 20

1962

AKADEMIE-VERLAG · BERLIN

Subscriptions and orders for single copies should be addressed to

AKADEMIE-VERLAG GmbH, Berlin W 8, Leipziger Straße 3—4 or to Buchhandlung KUNST UND WISSEN, Erich Bieber, Stuttgart S, Wilhelmstr. 4—6 or to Deutsche Buch-Export und Import GmbH, Leipzig C 1, Postschließfach 276

Schriftleiter und verantwortlich für den Inhalt: Professor Dr. Dr. h. c. P. Görlich, Berlin C 2, Neue Schönhauser Str. 20 bzw. Jena, Humboldtstr. 26. Redaktionskollegium: Dr. S. Oberländer, Dr. E. Gutsche, W. Borchardt. Anschrift der Redaktion: Berlin C 2, Neue Schönhauser Str. 20, Fernruf: 42 20 43. Verlag: Akademie-Verlag GmbH, Berlin W 8, Leipziger Str. 3—4, Fernruf: 22 04 41, Telex-Nr. 011 773, Postscheckkonto: Berlin 350 21. — Die Zeitschrift „physica status solidi" erscheint monatlich; Bezugspreis dieses Heftes DM 6,—. Bestellnummer dieses Heftes: 1068/2/1. Gesamtherstellung: VEB Druckerei „Thomas Müntzer" Bad Langensalza. — Veröffentlicht unter der Lizenznummer ZLN 5536 des Ministeriums für Kultur. Printed in Germany.

Review Article

Arbeitsstelle für Elektronenmikroskopie der Deutschen Akademie der Wissenschaften zu Berlin und Institut für experimentelle Physik der Universität Halle

Oberflächenstrukturen und Kristallbaufehler im elektronenmikroskopischen Bild, untersucht am NaCl (I)[1])

Von

H. Bethge

1. Einleitung

Allgemeine Aufgabe der Kristallphysik ist es, die Eigenschaften der Kristalle zu beschreiben und zu erklären. Im Vordergrund stehen dabei die störungsempfindlichen Kristalleigenschaften, vor allem, weil diese für die technisch genutzten Festkörper von besonderer Bedeutung sind. Zunächst wenig zusammenhängend erscheinende Eigenschaften, wie etwa die Kristallfestigkeit, das photophysikalische Verhalten und die Leitfähigkeit, sind dadurch miteinander verknüpft, daß sie gemeinsam gesicherter Annahmen über die Kristallstörungen, die Kristallbaufehler bedürfen. Untersuchungen zur Realstruktur der Kristalle sind damit gleichermaßen für alle Richtungen der Festkörperforschung von Bedeutung. Unter den Kristallbaufehlern beanspruchen die Versetzungen in zunehmendem Maße ein besonderes Interesse. Zunächst zur Erklärung der plastischen Eigenschaften der Kristalle postuliert, werden diese nach Ausbau der Versetzungstheorie auch im Zusammenhang mit fast allen anderen störungsempfindlichen Kristalleigenschaften diskutiert. Arbeiten der jüngsten Zeit zeigen überdies, daß durch einige mögliche Bildungsmechanismen die Versetzungen eng mit den atomaren Baufehlern, wie sie durch die atomare Fehlordnung gegeben sind, zusammenhängen. Andererseits werden für einige Prozesse der Entstehung atomarer Baufehler, wie z. B. bei der Röntgenverfärbung der Ionenkristalle, durch die Versetzungen induzierte Vorgänge angenommen.

Diese knappen Bemerkungen mögen aufzeigen, daß für allgemeine Untersuchungen zum Thema „Kristallbaufehler" derjenige Kristalltyp besonders geeignet ist, an dem möglichst viele störungsempfindliche Kristalleigenschaften zu untersuchen sind. Die zur Erklärung einer Eigenschaft gemachten Annahmen über die Kristallbaufehler sind dann dadurch zu überprüfen, daß sie auch bei der Deutung anderer Eigenschaften zwanglos einzuordnen sein müssen. Unter diesem Gesichtspunkt bietet sich der Ionenkristall mit Vorteil an. Gegenüber dem Metallkristall erlaubt die optische Durchlässigkeit Absorptionsmessungen und lichtmikroskopische Beobachtung des Kristallinnern in bequem zugänglichen Spektralbereichen. Die optische Absorption der Ionenkristalle, durch die Pohlsche Schule zu einer intensiv bearbeiteten Richtung der Kristallphysik entwickelt, gibt in ihrer Deutung Auskunft über die atomare Fehlordnung [1]. So kann aus der spektralphotometrischen Bestimmung der F-Zentren, deren Struktur als mit einem Elektron besetzte Anionenlücke auch durch Messungen der Elektronenspinresonanz gesichert ist, zumindest eine Aussage über die Konzentration der Anionenlücken gegeben werden. Die lichtmikroskopische Untersuchung der Ionenkristalle hat in den letzten Jahren eine Reihe wichtiger Ergebnisse gebracht.

---

[1]) Erweiterte Fassung eines auf der Tagung der Deutschen Sektion für Kristallkunde im April 1961 in Hamburg gehaltenen Hauptvortrages.

Unter Anwendung des „print-out"-Effektes haben zuerst HEDGES und MITCHELL [2] das räumliche Versetzungsnetzwerk in Silberhalogeniden beobachtet. Die früheren Untersuchungen von REXER [3] an additiv verfärbten Kristallen mit dem Spaltultramikroskop wiederholten zuerst AMELINCKX, VAN DER VORST, GEVERS und DEKEYSER [4]. In Zonen besonders günstiger Kolloidbildung gelingt die Abbildung sehr regelmäßig ausgebildeter Netzwerke. Die Fig. 1 zeigt ein Beispiel. In weiteren Arbeiten konnte AMELINCKX [5] aus der Geometrie der Versetzungsanordnungen und insbesondere der Versetzungsknoten die das Netzwerk bildenden Versetzungen quantitativ beschreiben. Es war damit eine Aussage über die in Ionenkristallen mit NaCl- und CsCl-Struktur möglichen und vorkommenden Versetzungen in bezug auf Orientierung und Burgersvektor gegeben [6]. Besonders zu erwähnen sind auch die ultramikroskopischen Untersuchungen an im Goldchloriddampf verfärbten NaCl-Kristallen von BARBER, HARVEY und MITCHELL [7]. Offensichtlich führt dieser noch nicht in allen Einzelheiten geklärte Verfärbungsmechanismus zunächst zu einer intensiven Lückenbildung, denn die beobachteten Versetzungslinien, die als Spiralen oder geschlossene Kreise vorlagen, können nur durch „climb"-Vorgänge an den Versetzungen erklärt werden; hierzu ist aber die Mitwirkung von Gitterlücken erforderlich. Die Fig. 2 gibt eine aus der Arbeit [7] entliehene Aufnahme wieder. Zu dieser Fragestellung lieferte auch die Arbeitsgruppe um DEKEYSER und AMELINCKX einige sehr eindrucksvolle Arbeiten an CaF_2 [8], in denen auch mögliche Bildungsmechanismen diskutiert werden. Schließlich gelang für eine Reihe von Ionenkristallen die Entwicklung von Ätzverfahren zur Sichtbarmachung der zur Oberfläche durchstoßenden Versetzungen. Die erste Arbeit stammt von AMELINCKX [9], ausgeführt am NaCl. In zahlreichen weiteren Arbeiten konnten unter Anwendung der Ätztechnik die Versetzungsdichte, die Anordnungen der Versetzungen in Kleinwinkelkorn-

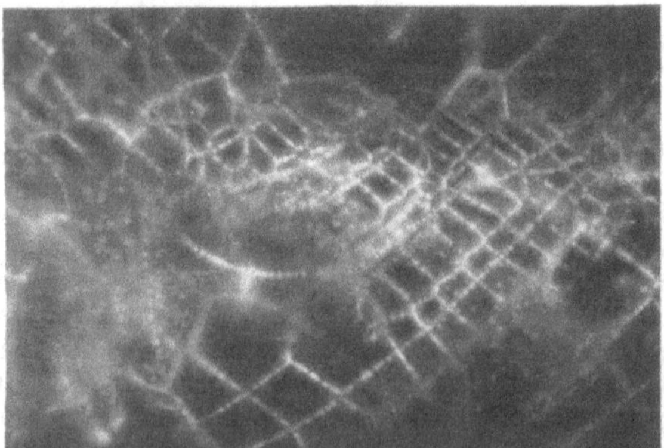

Fig. 1. Ultramikroskopische Aufnahme des Versetzungsnetzwerkes in einem additiv verfärbten NaCl-Kristall. Vergrößerung 400-fach

Fig. 2. Dekorierte Spiralversetzung in einem in Goldchloriddampf verfärbten NaCl-Kristall. Ultramikroskopische Aufnahme. Vergrößerung 4600-fach. Entlehnte Abbildung aus [7]

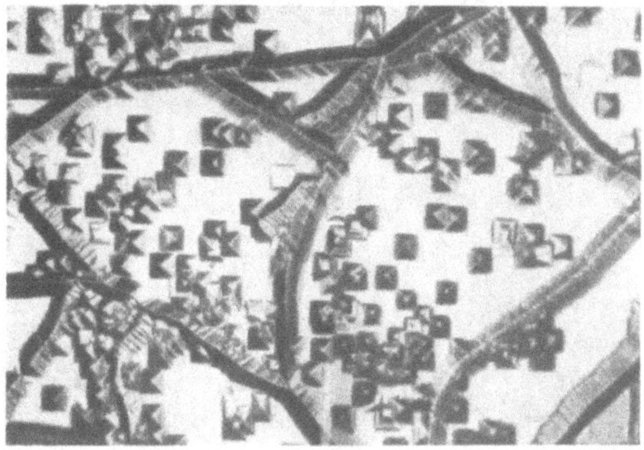

Fig. 3. Lichtmikroskopische Aufnahme einer mit Eisessig + 2% H_2SO_4 angeätzten NaCl-Spaltfläche. Die Aufnahme zeigt angeätzte einzelne und in Kleinwinkelkorngrenzen angeordnete Versetzungen. Vergrößerung 100-fach

grenzen (subboundaries) und in durch Polygonisation gebildeten Grenzen beschrieben werden. Für die Ergebnisse der Ätztechnik gibt aus den eigenen Untersuchungen Fig. 3 ein Beispiel. Sehr ausführlich untersucht wurde das LiF von GILMAN und JOHNSTON [10]. Unter Benutzung spezieller Techniken und durch wiederholtes Anätzen gelang der Nachweis der Bewegung der Versetzungen und bei impulsförmiger plastischer Verformung auch die Messung der Versetzungsgeschwindigkeiten [11].

Diese kurze, keinesfalls vollständige Zusammenfassung einiger wichtiger Arbeiten zeigt, welche Fortschritte zum Thema Realkristall durch die Untersuchung der Ionenkristalle in jüngster Zeit erreicht wurden.

Ziel der elektronenmikroskopischen Untersuchungen, über die nachfolgend zusammenfassend berichtet werden soll, war es, mit dem hohen Auflösungsvermögen des Elektronenmikroskops, über die lichtmikroskopischen Ergebnisse hinausgehend, vertiefte Einblicke in die Baufehler des NaCl-Kristalls zu erhalten. Grundsätzlich bieten sich für die Anwendung des Elektronenmikroskops zwei Möglichkeiten. Einmal kann man versuchen, ein Kristallstück durch spezielle Präparation so dünn zu machen (einige 100 Å) oder auch einen Einkristallfilm entsprechender Dicke herzustellen, daß die Probe direkt in Durchstrahlung zu untersuchen ist. Zum anderen kann mittels Abdruckmethoden von einem makroskopischen Kristall die Oberflächenstruktur abgebildet werden. Der erste Weg der direkten Durchstrahlung bereitet für den Ionenkristall einige Schwierigkeiten wegen der Herstellung genügend dünner Kristalle[2]). Für die Untersuchung der Oberflächenstrukturen bieten sich die Alkalihalogenid-Kristalle aber aus folgendem Grund besonders an. Auch die Spaltbarkeit ist eine störungsempfindliche Kristalleigenschaft, und in der Oberflächenstruktur einer Spaltfläche sollten sich die von der Vorbehandlung abhängigen Kristallbaufehler äußern. Auf die außerordentliche Vielfalt der Spaltstrukturen weist schon die lichtmikroskopische Beobachtung hin. Die Fig. 4 gibt hierfür einige Beispiele. Ziel der elektronenmikroskopischen Untersuchung der Spaltflächen sollte es sein zu klären, ob in submikroskopischen Bereichen typische, für die Erklärung des Spaltvorganges

[2]) Nach freundlicher Mitteilung von Frl. Dr. SUGAR (Phys. Inst. der Universität Brüssel) scheint ein Wachstum aus einem Lösungstropfen in besonderer, die Oberflächenspannung zwischen Lösung und Träger beeinflussender Atmosphäre zur Herstellung geeignet. Die NaCl-Schicht ist mosaikartig aus bis zu 1 μ^2 großen Kristallen aufgebaut und besitzt eine durchstrahlbare Dicke.

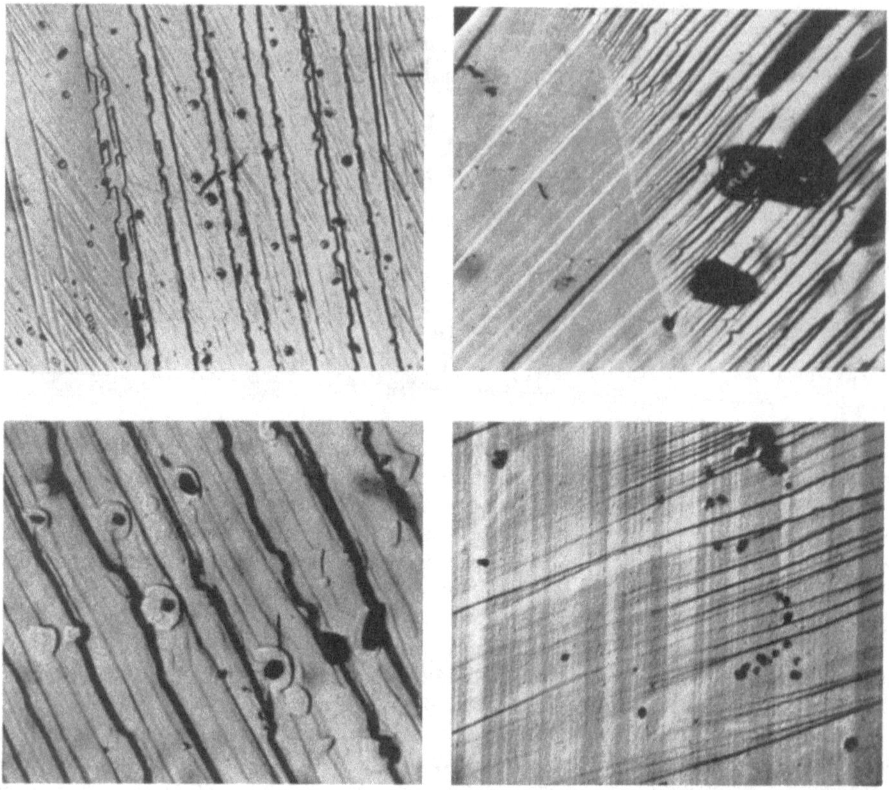

Fig. 4. Typische Strukturen auf NaCl-Spaltflächen bei lichtmikroskopischer Beobachtung. Zur Kontrastierung wurden die Kristalle mit Silber bedampft. Vergrößerung 100-fach

wesentliche Strukturelemente zu beschreiben sind. Als eine ausgezeichnete Methode zur Darstellung der zur Oberfläche durchstoßenden Versetzungen erwies sich die Abdampfung im Hochvakuum unter geeigneten Bedingungen. Der Kristallabbau an den Stufen erfolgt dabei gemäß den Vorstellungen von KOSSEL und STRANSKI, aber das flächenhafte Geschehen wird maßgeblich durch die Kristallbaufehler beeinflußt. Auch die Umkehrung, ein Wachstum auf einer zuvor angelösten Kristallfläche bei Verdampfung des Lösungsmittels, wird durch die Kristallstörungen beeinflußt, so daß die dabei entstehenden Strukturen ebenfalls zur Kennzeichnung gewisser Kristallbaufehler dienen können. Die kristallphysikalisch interessierenden Oberflächenstrukturen sind in ihren Stufenhöhen nur von atomarer Größenordnung. Zur elektronenmikroskopischen Abbildung sind besondere präparative Verfahren notwendig.

Im Teil I dieses Berichtes wird über die Abbildungsmethoden, über die Ergebnisse bei der Kristallabdampfung sowie über die Wachstumsstrukturen berichtet. Dabei steht der Nachweis und die Beschreibung der zur Oberfläche durchstoßenden Versetzungen im Vordergrund. Teil II enthält die Ergebnisse zur Anordnung von Versetzungen in Kleinwinkelkorngrenzen und die aus den Abdampfstrukturen zu gewinnenden Aussagen über die Verteilung von Verunreinigungen in Kristallen. In zwei weiteren Kapiteln wird über die Spaltstrukturen sowie über die Ergebnisse der Untersuchungen an Gleitlinien berichtet.

Für die nachfolgend mitzuteilenden Ergebnisse sei gleich hier vorweggenommen, daß bisher nur Würfel-Spaltflächen untersucht wurden. Es wird im folgenden nicht immer besonders darauf hingewiesen, daß die beschriebenen Strukturen immer auf Würfelflächen liegen.

2. Angewandte Präparationsverfahren zur elektronenmikroskopischen Oberflächenabbildung

Die elektronenoptischen Anordnungen zur direkten Oberflächenabbildung, d. h. Verfahren, bei denen durch Elektronen- oder Ionenbeschuß oder auch lichtelektrisch ausgelöste Elektronen die emittierende Oberfläche abbilden, sind bisher in ihrem Auflösungsvermögen dem üblichen Durchstrahlungsmikroskop um mehr als eine Zehnerpotenz unterlegen[3]). Für die zu fordernde hohe Auflösung der Oberflächenstrukturen ist deshalb das von MAHL [12] eingeführte Abdruckverfahren anzuwenden, bei dem ein dünner Film als „Abdruck" der Oberfläche in Durchstrahlung untersucht wird. Das mit den besten Abdruckverfahren erzielte Auflösungsvermögen beträgt etwa 40 bis 50 Å, d. h. Strukturen mit diesem Abstand können noch getrennt abgebildet werden. Es ist hierzu allerdings notwendig, daß die Strukturen einen hinreichenden Kontrast ergeben. Neben der Forderung nach einem ausreichenden lateralen Auflösungsvermögen ist deshalb von besonderer Wichtigkeit die Frage nach der kleinsten noch durch den Abdruck abbildbaren Höhe einer Stufe, d. h. nach der Tiefenerkennbarkeit, die durch den Kontrast bedingt ist. Zur Diskussion dient die Zeichnung der Fig. 5. Vorgegeben sei eine Oberfläche mit einem Profil gemäß Fig. 5a. Die zwei Stufen, deren Abstand bedeutend größer als das Auflösungsvermögen sein kann, sind erst dann abbildbar, wenn die in Fig. 5c schematisch angegebene Massendicke des Abdruckfilmes einen auf der Photoplatte hinreichend erkennbaren Schwärzungssprung hervorruft. Für die visuelle Beobachtung auf dem Leuchtschirm liegen die Verhältnisse stets noch ungünstiger. Wird etwa, wie in Fig. 5b dargestellt, ein Abdruckfilm, der z. B. als Kohlefilm auf das Objekt aufgedampft wurde, nach dem Ablösen zur Kontraststeigerung noch mit einem Schwermetall schräg bedampft, dann gilt, daß noch Stufen abzubilden sind mit einer Höhe, die annähernd gleich der Dicke der Kontrastbedampfung ist. Unter optimalen Bedingungen mag es möglich sein, mit Zweischicht-Abdrucken Stufenhöhen bis herab zu 10 Å auf der Photoplatte zu erkennen. Bessere Ergebnisse erzielt man durch die zuerst von BRADLEY [13] angegebene Simultanbedampfung mit Kohle und Platin.

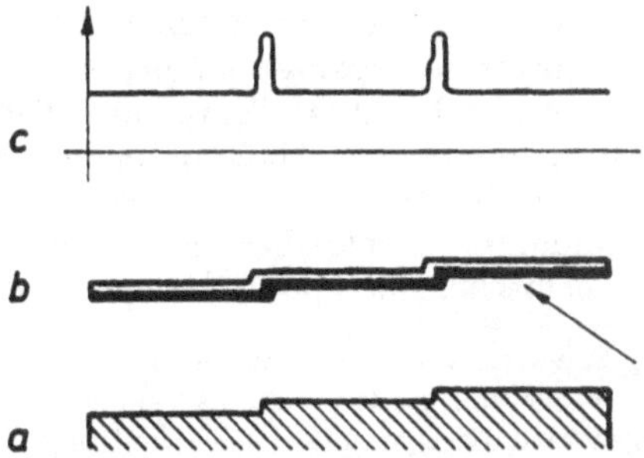

Fig. 5. Schematische Darstellung zum Zusammenhang zwischen Oberflächenrelief und Kontrast.
a) Kristalloberfläche,
b) Abdruckfilm mit in Richtung des Pfeiles erfolgter Schrägbedampfung,
c) Verteilung der Massendicke im Abdruckfilm

[3]) Vom Feldelektronen- und Feldionen-Mikroskop soll abgesehen werden. Es wird mit beiden Verfahren zwar ein außerordentlich hohes Auflösungsvermögen erzielt, aber das Anwendungsgebiet ist naturgemäß sehr eingeschränkt.

Unter Anwendung üblicher Abdruckverfahren wurden zunächst Spaltflächen ausführlich untersucht. Auf diese früheren Arbeiten [14] soll hier nicht mehr eingegangen werden; sie sind durch die neueren Ergebnisse unter Anwendung besonderer Präparationsverfahren überholt. Erwähnt sei lediglich eine aus vielen Aufnahmen zu gewinnende Aussage, die für die weiteren Untersuchungen die Richtung wies. Übliche Abdruckverfahren, z. B. schräg bedampfte Kohleabdrücke, zeigten, daß Bereiche von einigen 10 μ^2 vorliegen, die strukturlos oder genauer „elektronenoptisch leer" erscheinen. Es darf daraus aber nicht der Schluß gezogen werden, daß diese Bereiche atomar eben sind. Wie vorstehend erklärt, reicht die Tiefenerkennbarkeit nicht aus, um etwa vorliegende atomare Stufen abzubilden. Solche Stufen sind aber zu erwarten, denn jede von der Spaltfläche durchschnittene Schraubenversetzung muß eine in Richtung der Kristallspaltung verlaufende Stufe erzeugen (siehe hierzu Fig. 11). Wird weiterhin angenommen, daß beim Spaltvorgang zusätzlich Versetzungen erzeugt werden, dann sind atomar ebene Flächen von mehr als etwa 10 μ^2 Größe wenig wahrscheinlich[4]). Zur Diskussion der Struktur einer Spaltfläche im Sinne der in der Einleitung gegebenen Fragestellung — nämlich des Zusammenhanges von Spaltstruktur und Kristallbaufehlern — schien es aber unerläßlich, auch die Strukturen mit gegebenenfalls atomaren Stufenhöhen im elektronenmikroskopischen Bild zu erfassen. Ein Hauptanliegen der an die ersten Ergebnisse anschließenden Arbeiten war es deshalb, nach Verfahren zu suchen, die in der Tiefenerkennbarkeit die üblichen Abdruckververfahren übertreffen.

Es wurden hierzu mehrere Wege untersucht [15], die alle darauf abzielten, auf der abzubildenden Kristallfläche die Strukturen durch eine vorbereitende Behandlung so zu „entwickeln", daß der Kontrast eines Abdruckes für die Abbildung ausreicht. Von den in [15] beschriebenen Verfahren, deren spezielle Möglichkeiten zum Teil noch nicht weiter verfolgt wurden[5]), sei hier nur das am besten geeignete beschrieben. Das Verfahren der Aufdampfung von NaCl auf die Spaltfläche eines NaCl-Kristalles [16] geht von folgender Überlegung aus. An Stufen sollte unmittelbar zu Beginn des Aufdampfens eine bevorzugte Keimbildung stattfinden, wenn die folgenden zwei Voraussetzungen erfüllt sind. Erstens ist durch Erwärmung des Kristalles für eine hinreichende Oberflächenbeweglichkeit der auftreffenden Moleküle zu sorgen und zweitens ist die Aufdampfgeschwindigkeit so zu wählen, daß diese wesentlich größer ist, als für ein ideales Wachstum erlaubt ist. Die letzte Forderung soll ausdrücken, daß z. B. beim Vorliegen von Spaltstufen mit Höhen atomarer Größenordnung diese nicht gemäß der Kossel-Stranskischen Theorie über die Kristallfläche hin weiter wachsen sollen. Die den Bedingungen angepaßte Temperatur des Kristalles wurde im Experiment zu 300 °C ermittelt. Diese Temperatur liegt 50 bis 100 °C unter derjenigen, bei der im Hochvakuum eine Abdampfung der Kristalle erfolgt. Die Aufdampfgeschwindigkeit lag bei 100 bis 300 Å · sec^{-1} kondensierter NaCl-Schicht, und die Dicken der Aufdampfschichten betrugen 10^3 bis 10^4 Å. Zur experimentellen Durchführung ist zu bemerken, daß die Aufdampfung des NaCl aus einem Mo-Schiffchen erfolgte

[4]) Es wird zwar — auch in neueren Arbeiten, z. B. [17] — zur Erklärung der Spaltbarkeit immer von größeren atomar ebenen Flächen ausgegangen, aber in solchen Betrachtungen wird die Dynamik der Ausbreitung des Spaltrisses mit den dabei zugleich ablaufenden plastischen Vorgängen außer acht gelassen.

[5]) Erwähnt seien hier die Untersuchungen aufgedampfter Metallschichten, die mit dem Kristall zur Grenzflächenreaktion gebracht werden. Es sollte mit diesem Verfahren möglich sein, Vorgänge an den Elektroden bei der Ionenleitfähigkeit zu untersuchen.

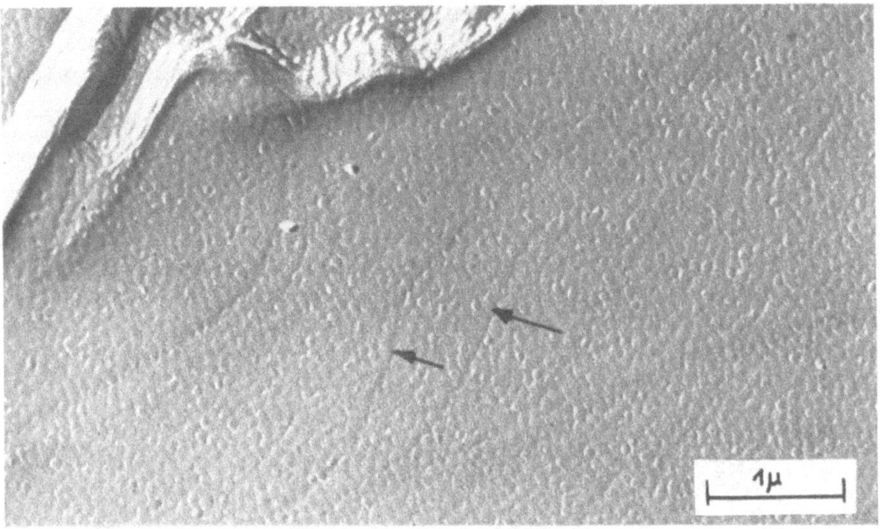

Fig. 6. Durch NaCl-Aufdampfung „entwickelte" Stufen auf einer Spaltfläche. Präparation: Kohleabdruck mit ThF_4 schräg bedampft. Vergrößerung 18000-fach

bei einem Vakuum von etwa 10^{-5} Torr. Unmittelbar nach der Bedampfung mit NaCl und nachfolgender Abkühlung des Kristalls wurde, ohne die Vakuumanlage zu belüften, durch Kohlebedampfung nach Bradley [18] der Abdruckfilm aufgebracht. Nach dem Weglösen des Kristalles und der üblichen Präparation des Abdruckfilmes erfolgte die Schrägbedampfung zur Kontraststeigerung. Die Fig. 6 demonstriert das Leistungsvermögen des Verfahrens. Auf einer in freier Atmosphäre erzeugten Spaltfläche sind zahlreiche gekrümmt verlaufende Stufen zu erkennen. Höhere Vergrößerungen zeigen, daß entlang der Stufen die Kriställchen der Aufdampfschicht größer und zumeist auch orientiert aufgewachsen sind. Daß mit diesem Verfahren Stufenhöhen mit nur einem Netzebenenabstand abgebildet werden — die gekrümmt verlaufenden Stufen in Fig. 6 (siehe Pfeil) sind überwiegend atomare Stufen —, wird durch die Aufnahme einer Kleinwinkelkorngrenze im zweiten Teil dieses Berichtes belegt.

Gleichzeitig mit dem vorstehend beschriebenen Verfahren wurde von Bassett [19] die Methode der Golddekoration bekannt gemacht, die im Zusammenhang mit Untersuchungen zur Epitaxie von metallischen Aufdampfschichten auf Ionenkristallen entstand. Diese Dekorationsmethode benutzt eine seit langem bekannte Erfahrung, wonach bestimmte Metalle beim Verdampfen auf hinreichend sauberen Oberflächen nur schwierig in homogener Schicht zu kondensieren sind[6]). Zur Durchführung der Dekoration wird nur sehr wenig Gold aufgedampft; die Schichtdicke sollte unter der Annahme einer homogenen Bedeckung nicht stärker als 10 Å sein. Eine so geringe Bedampfung einer Spaltfläche eines NaCl-Kristalles bildet keine zusammenhängende Schicht, sondern die Au-Atome laufen zu kleinen, nur wenige 10 Å großen Kriställchen zusammen. Auf atomar ebenen Bereichen sind die Goldteilchen statistisch verteilt. An Stufen jedoch, deren Ausdehnung groß ist gegenüber dem mittleren Abstand der regellosen Verteilung, sind die Teil-

[6]) So hat Lad [20] den Effekt benutzt, um durch Aufdampfung von Zink auf NaCl-Spaltflächen Risse für die kontraststarke lichtmikroskopische Abbildung zu dekorieren.

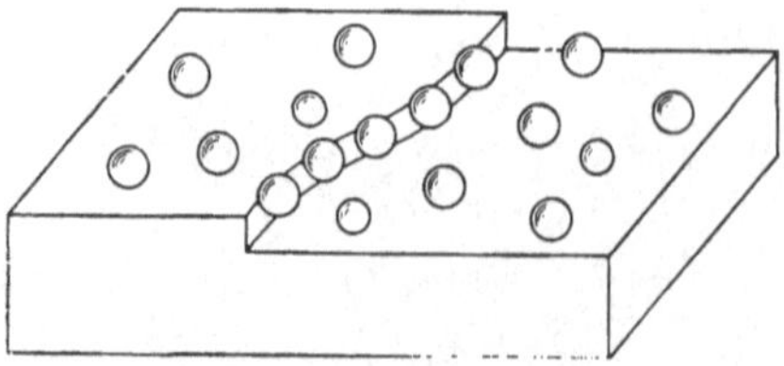

Fig. 7
Schematische Zeichnung zur Golddekoration

chen dicht liegend entlang der Stufe angeordnet[7]). Dies zeigt schematisch die Fig. 7. Die Präparation des eigentlichen Abdruckes erfolgt durch Aufdampfung eines Kohlefilms [18] unmittelbar nach der Goldbedampfung. Durch den die Goldteilchen gut einhüllenden Kohlefilm werden diese beim Ablösen des Abdruckes mitgenommen und vermitteln bei der elektronenmikroskopischen Beobachtung die ursprüngliche Verteilung der Teilchen auf der Kristallfläche. Die Fig. 8 zeigt

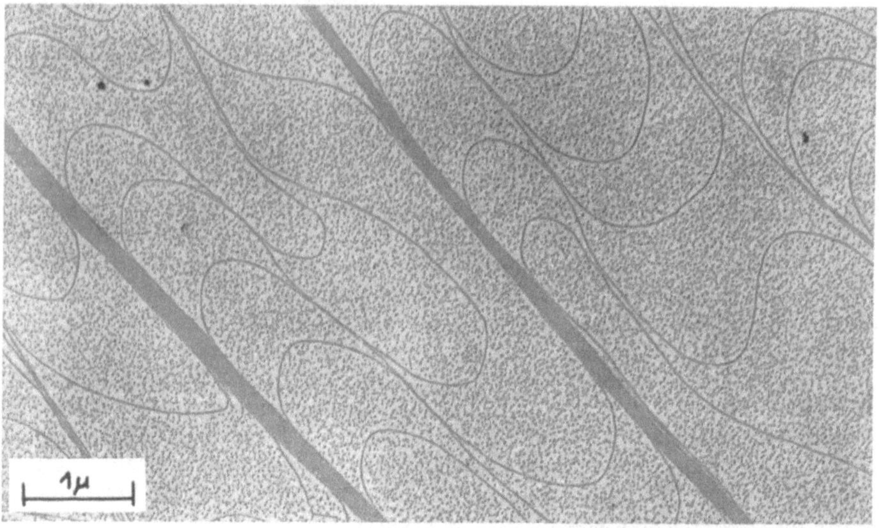

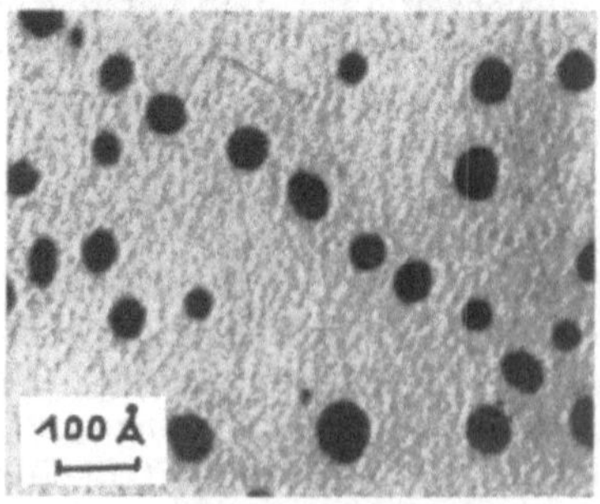

Fig. 8. Durch Goldaufdampfung dekorierte Stufen auf einer Spaltfläche. Vergrößerung:

Fig. 8a (oben) 15000-fach,
Fig. 8b (rechts) 600000-fach

---

[7]) Die Golddekorationsmethode ist damit in mancher Hinsicht vergleichbar mit den früheren Ergebnissen von Thiessen [21]. Die auf Kaolin- und Glimmerkristallen anisotropen Oberflächenenergien wurden durch unterschiedliche Anlagerung von Au-Kolloiden aus der Lösung nachgewiesen.

die mit dem Golddekorationsverfahren auf einer in freier Atmosphäre erzeugten Spaltfläche erfaßten Strukturen, die recht ähnlich sind den in der Fig. 6 wiedergegebenen. Die Ausschnittaufnahme Fig. 8b zeigt die Goldteilchen bei extrem hoher Vergrößerung und stellt die Verbindung mit der schematischen Zeichnung der Fig. 7 her. Es ist genügend gesichert, daß mit diesem Verfahren ebenfalls Stufenhöhen von einem Netzebenenabstand abzubilden sind. Dies zeigen auch die nachfolgenden in diesem Bericht beschriebenen Ergebnisse.

Gegenüber dem Verfahren der Aufdampfung von NaCl auf eine NaCl-Kristallfläche hat das Verfahren der Golddekoration den Vorteil, daß damit auch dicht benachbarte atomare Stufen abzubilden sind, deren Abstand nur etwa zwei- bis dreimal größer zu sein braucht als der Durchmesser der Goldteilchen. Bei sehr fein ausgeführter Golddekoration sind noch Stufenabstände von 40 bis 50 Å gut und kontraststark auflösbar. Dies leistet die NaCl-Aufdampfung nicht, weil die aufwachsenden Kriställchen zur Abbildung mit einem üblichen Abdruckverfahren eine Größe von einigen hundert Å erreichen müssen. Während es sich aber bei der Golddekoration um ein reines Präparationsverfahren handelt, liefert die Aufdampfung von NaCl bei bestimmter Versuchsführung neben der Abbildung von atomaren Stufen noch die Möglichkeit zur Sichtbarmachung der zur Oberfläche durchstoßenden Versetzungen.

3. Abdampfstrukturen und Versetzungen

Entsprechend der Bedeutung der Versetzungen ist die Frage nach der Versetzungsdichte von besonderem Interesse. Gesicherte Angaben hierzu sind bisher nur gegeben an extrem versetzungsarmen Germanium- und Siliziumkristallen besonders sorgfältiger Herstellung. Hier bewährten sich die in den letzten Jahren bekanntgemachten röntgenographischen Abbildungsmethoden. Für den gewöhnlichen Realkristall mit Versetzungsdichten größer als 10^3 cm^{-2} sind diese Verfahren aber nicht geeignet. Auch aus der ultramikroskopischen Abbildung der Versetzungen in verfärbten Kristallen sind Angaben zur Versetzungsdichte nicht eindeutig möglich, weil nicht auszuschließen ist, daß der Verfärbungsvorgang die ursprüngliche Verteilung der Versetzungen beeinflußt. Die Bestimmung der Versetzungsdichte wird deshalb zumeist durch Abzählen der auf der Oberfläche angeätzten Versetzungen vorgenommen. Aussagen zum Typ der jeweils vorliegenden Versetzung aus der Struktur der Ätzgrube sind nur in besonders günstigen Fällen möglich. Für eine genauere Beschreibung ist das Verfahren der chemischen Anätzung zu grob, wie besonders die elektronenmikroskopische Untersuchung der Ätzgrübchen zeigte. Die Fig. 9 gibt ein Beispiel aus einem Oberflächenbereich hoher Versetzungsdichte. Im oberen Bereich der Aufnahme sind vier dicht beieinanderliegende Ätzgrübchen zu erkennen, die zueinander Abstände von 3 bis 5 μ haben. Für diese Einzelheit mag die elektronenmikroskopische Beobachtung von Vorteil sein, aber im grundsätzlichen zeigt das Elektronenmikroskop nichts, was über das von der lichtmikroskopischen Untersuchung her Bekannte hinausgeht. Eine weiteren Aufschluß gebende Feinstruktur in den Ätzgrübchen ist nicht zu erkennen, zudem sind die nicht zu vermeidenden Rückstände des Ätzprozesses für die elektronenmikroskopische Abbildung sehr störend. Es gelingt nicht, durch Verkürzung der Ätzdauer die Ätzgrübchen wesentlich kleiner, d. h. in einer den hohen elektronenmikroskopischen Abbildungsmaßstäben angepaßten Größe zu erhalten. Eine Forderung, die aber erfüllt sein müßte, wenn durch die Ätztechnik die Abbildung gegenseitiger Anordnungen von Versetzungen mit Abständen unterhalb des Auflösungsvermögen des Lichtmikroskops ermöglicht werden sollte.

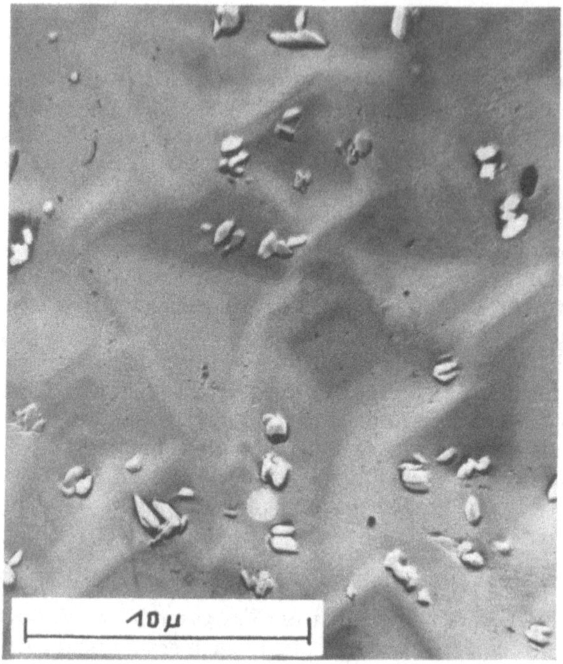

Fig. 9. Elektronenmikroskopisches Bild von Ätzgruben. Ätzbedingungen wie zu Fig. 3. Präparation: Kohleabdruck mit ThF_4 schräg bedampft. Vergrößerung 3800-fach

Da, wie vorstehend erwähnt und wie Fig. 9 zeigt, das Ätzverfahren wenig Erfolg verspricht für eine detaillierte Bestimmung der zur Oberfläche durchstoßenden Versetzungen, wurde der Versuch unternommen, den allzu intensiven Kristallabbau beim Ätzvorgang durch den Abbau beim Verdampfen zu ersetzen. So wie das Anätzen der Versetzung darauf beruht, daß eine bevorzugte Ablösung entlang der Versetzungen in den Kristall hinein erfolgt, ist auch beim Abdampfen eines Kristalls ein durch die Versetzungen beeinflußter Kristallabbau zu erwarten. Gegenüber den noch nicht befriedigend zu deutenden Vorgängen beim Ätzen (siehe hierzu z. B. die Diskussion von Vermilyea [22]) sind die zu erwartenden Vorgänge beim Abdampfen durch die neueren Theorien zum Abbau und Wachstum der Kristalle recht gut geklärt. Hierauf soll nachfolgend eingegangen werden.

Nach den Vorstellungen des Kristallwachstums und des Kristallabbaues erfolgen beide Vorgänge in molekularen Schritten, die nach der Theorie von Kossel [23] und Stranski [24] jeweils durch die notwendigen Energien für die Einzelschritte bestimmt sind. Das Wesentliche hierzu erklärt die Fig. 10; es soll der Kristallabbau betrachtet werden. Die Höhe der Stufe sei gleich der Größe der Kristallbausteine. Die Bindungsenergien für die drei eingezeichneten Positionen einzelner Bausteine seien Φ_1, Φ_2 und Φ_3. Die Rechnung ergibt, daß dann $\Phi_1 < \Phi_2 < \Phi_3$ gilt. Beim Kristallabbau werden nun zunächst die Bausteine am Ende einer Kette („Halbkristallage" mit der Bindungsenergie Φ_1) entfernt, und in „wiederholbaren Schritten" entlang der Kette wird diese schließlich vollkommen abgebaut. Zum weiteren Abbau muß dann aus einer abgeschlossenen Kette durch Herausnehmen eines Bausteines mit der Bindungsenergie Φ_2 für die Schaffung neuer Halbkristalllagen gesorgt werden. Die höchste Energie muß aufgebracht werden für die erste Herauslösung aus einer abgeschlossenen Netzebene. Auf Feinheiten, etwa die Berücksichtigung der Bausteine am Rande des Kristalls, braucht hier nicht ein-

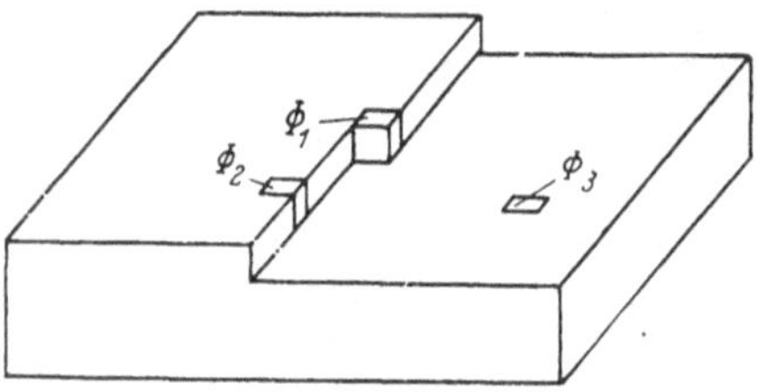

Fig. 10. Für Abbau und Wachstum ausgezeichnete Lagen einzelner Kristallbausteine

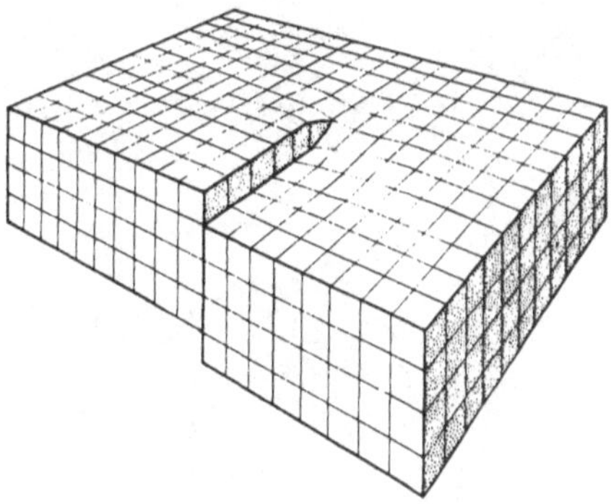

Fig. 11. Oberflächenstruktur im Bereich einer Schraubenversetzung

gegangen zu werden; für das Folgende genügt das Prinzipielle. Vorstehend war nur einfach von Bausteinen die Rede; völlig analoge Betrachtungen gelten auch für den speziellen Fall des Ionenkristalls. Als Baustein ist dann nur ein Molekül zu betrachten [24]. Beim Kristallwachstum wird wegen der maximal frei werdenden Energie bei der Anlagerung in der Halbkristallage das Wachstum zunächst wieder in wiederholbaren Schritten an der Kette erfolgen. Die Bildung eines Keimes auf einer abgeschlossenen Fläche ist dagegen viel weniger wahrscheinlich. Um beim Wachstum von der Keimbildung zum Aufbau einer neuen Netzebene unabhängig zu sein, modifizierten Frank, Burton und Cabrera [25] die Theorie von Kossel und Stranski durch die Betrachtung der Vorgänge an einem Versetzungen enthaltenden Kristall. Eine entscheidende Rolle spielen hierbei die Schraubenversetzungen. Wie die Fig. 11 zeigt, geht vom Durchstoßpunkt der Schraubenversetzung auf der Oberfläche eine Stufe aus, deren Höhe durch den Burgersvektor der Versetzung gegeben ist. An dieser Stufe nun wird das Wachstum beginnen, und im weiteren Verlauf der Anlagerung der Kristallbausteine wird die Stufe sich zu einer Spirale oder später zu einem „Spiralhügel“ aufwinden. Ohne hier auf die Problematik einzugehen, ob mit dem durch Versetzungen ermöglichten Mechanismus die ganze Erscheinung des Kristallwachstums zu beschreiben ist, sei aber festgehalten, daß beim Vorliegen einer Schraubenversetzung unter geeigneten Bedingungen ein Wachstum gemäß vorstehender Erklärung ganz sicher möglich ist. Zu dem Thema Kristallwachstum und Versetzungen sind in den letzten Jahren zahlreiche Untersuchungen durchgeführt worden, aber oft sind die Ergebnisse nicht eindeutig. Es darf nicht außer acht gelassen werden, daß es sich um Vorgänge in atomaren Dimensionen handelt. Viele der mitgeteilten lichtmikroskopischen Beobachtungen beschreiben deshalb sicher schwierig zu deutende sekundäre Erscheinungen. Eine gute Übersicht gibt der zusammenfassende Bericht von Forty [26], in dem auch die bisher sichersten Ergebnisse einer elektronenmikroskopischen Untersuchung des durch Schraubenversetzungen ausgelösten Wachstums von Paraffinkristallen (Dawson und Anderson [27]) wiedergegeben sind.

Eine erste Arbeit zur Abdampfung an NaCl- und KCl-Kristallen wurde von Kern und Pick [28] ausgeführt; hierbei standen aber nur allgemeine Fragen des Kristallabbaues in Lamellenschichten im Vordergrund. Spezielle Untersuchungen zur Sichtbarmachung von Versetzungen durch Abdampfstrukturen führten etwas später Amelinckx und Votava [29] aus. In beiden Arbeiten wurden die Kristalle bei Temperaturen dicht unter dem Schmelzpunkt in freier Atmosphäre abge-

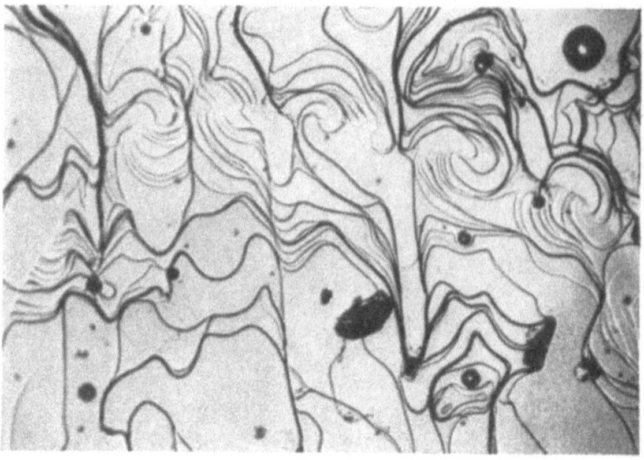

Fig. 12. Lichtmikroskopische Aufnahme von in freier Atmosphäre erzielten Abdampfstrukturen. Abdampfbedingungen: 800 °C, 13,5 h. Vergrößerung 100-fach

dampft. Eine Aufnahme, die den von AMELINCKX und VOTAVA mitgeteilten lichtmikroskopischen Ergebnissen entspricht, zeigt die Fig. 12. Entlang einer Kleinwinkelkorngrenze sind zahlreiche spiralig verlaufende Abdampflamellen aufzufinden. Es ist daraus auf das Vorliegen einer aus Schraubenversetzungen aufgebauten Kleinwinkelkorngrenze (twist boundary) zu schließen. Die Zentren der Spiralsysteme sind aber sicher nicht identisch mit allen tatsächlich in der Grenze vorliegenden Versetzungen (siehe hierzu die ausführlichen Ergebnisse an Kleinwinkelkorngrenzen in Teil II). Dies zeigt auch ein Vergleich mit der Aufnahme der Fig. 3, wo die Ätzgrübchen — bei gleicher lichtoptischer Vergrößerung — in den Kleinwinkelkorngrenzen so dicht liegen, daß sie meistens nicht aufgelöst sind. Eine Deutung der bei hohen Temperaturen in freier Atmosphäre erzielten Abdampfstrukturen stößt auf außerordentliche Schwierigkeiten wegen des sehr komplexen Geschehens auf der Kristallfläche, bei dem die atomistischen Vorstellungen zum Kristallabbau durch andere Effekte überdeckt werden. Erwähnt sei auch, daß durch die von AERTS und DEKEYSER [30] wahrscheinlich gemachte Eindiffusion von Stickstoff in den Kristall beim Tempern die Oberflächenschicht der Kristalle bei der Abdampfung in freier Atmosphäre entscheidend beeinflußt werden kann.

Damit die Vorgänge beim Abdampfen den Vorstellungen der Theorie möglichst nahe kommen, ist es notwendig, daß der Kristallabbau genügend langsam vor sich geht. Es bietet sich hierzu die Abdampfung im Hochvakuum an.

Schon die ersten Beobachtungen [15] unter Anwendung üblicher Abdruckverfahren zeigten, daß bei Temperaturen von etwa 450 °C im Hochvakuum von 10^{-5} Torr ein Abdampfen erfolgt und dabei vor allem an gröberen Stufen eine Lamellenstruktur entsteht, die im elektronenmikroskopischen Bild von Abdampfstrukturen gemäß Fig. 12 nicht aufzufinden war. Bei den ausführlicheren Untersuchungen gelang dann unter Anwendung des Golddekorationsverfahrens die Auffindung der Strukturen, wie sie von der Theorie des Kristallabbaues erwartet werden [31, 32].

Auf die experimentelle Durchführung sei kurz eingegangen. In einer üblichen Vakuumapparatur befindet sich ein in einer Richtung offener Röhrenofen aus Kupfer mit verchromter Oberfläche, in dem die Kristalle gehaltert und hochgeheizt werden. Die zu untersuchende Fläche des Kristalls liegt zum offenen Ende des Ofens, so daß sich die abgedampften Moleküle frei in den Rezipientenraum bewegen können. Nach der Abdampfung im Temperaturbereich zwischen

Fig. 13. Durch Abdampfung im Hochvakuum erzeugte Abdampfstrukturen auf einer in freier Atmosphäre hergestellten Würfelspaltfläche. Abdampfbedingungen: 500 °C, 20 min. Präparation: Golddekoration. Vergrößerung 17000-fach

450 und 550 °C[8]) und anschließender Abkühlung auf 100 °C erfolgt die Aufdampfung des Goldes und danach die des Kohlefilmes. Die Abdampfzeiten liegen zwischen 10 und 30 min. Welche Temperatur und Zeit jeweils aus den vorstehenden Intervallen für ein Abdampfexperiment gewählt werden, hängt von der speziellen Fragestellung ab; es entstehen in diesen Bereichen aber immer Lamellenstrukturen mit Stufenhöhen von einem oder zwei Netzebenenabständen.

Die Fig. 13 zeigt in einer Übersichtsaufnahme die für den Verlauf der Lamellenstufen typischen Strukturelemente: konzentrische ringförmige Lamellensysteme und Spiralen[9]). Aus der vorstehenden Diskussion über die Bedeutung der Schraubenversetzungen für Wachstums- und Abbauvorgänge ist es plausibel, daß die als Spiralen ausgebildeten Abdampfstrukturen den Schraubenversetzungen zuzuordnen sind. Nicht so unmittelbar zwingend — und bei kürzeren Abdampfzeiten auch nicht immer eindeutig — ist die Aussage, daß die etwa ringförmigen Lamellensysteme die Durchstoßpunkte von Stufenversetzungen markieren. Allgemein ist zum Abdampfen einer Kristallfläche, die möglichst ungestört, zweckmäßig als Spaltfläche vorliegen soll, zu bemerken, daß zu Beginn des Prozesses ein Abdampfen an allen vorhandenen Stufen beginnt. Atomare oder nur wenige Atomlagen hohe Stufen, die ihren Anfangsort nicht in Schraubenversetzungen haben, werden abgebaut, wobei die Kristallfläche eingeebnet wird. Mit dem vollendeten Abbau dieser Stufen werden dann die durch die Versetzungen hervorgerufenen Abdampflamellen für die Struktur bestimmend.

Es soll nun zunächst auf die Abdampfspiralen eingegangen werden. An der vom Durchstoßpunkt einer Schraubenversetzung ausgehenden Stufe (siehe Fig. 11) beginnt die Abdampfung. Beim Vorrücken der Stufe wird, da diese in der Versetzung verankert ist, die Stufenfront in der Umgebung des Durchstoßpunktes den Verlauf einer Spirale annehmen, und schließlich entsteht dann beim weiteren Abdampfen eine Grube mit der vielfach aufgewundenen Lamellenstufe. Soweit das Grundsätzliche. Das Bildmaterial zeigt nun, daß verschiedenartig ausgebildete Abdampfspiralen aufzufinden sind. Die Fig. 13 zeigt neben mehreren einfachen runden Spiralen noch eine durch gerade Stufen begrenzte einfache viereckige Abdampfspirale. Neben diesen zwei Arten tritt schließlich noch die doppelte runde Spirale auf, wie sie links in der Fig. 14 zu erkennen ist. Zur Erklärung muß angenommen werden, daß die auslösenden Schraubenversetzungen unterschiedliche Burgersvektoren besitzen. In einer theoretischen Arbeit haben Huntington et al. [33] die im NaCl-Gitter möglichen Burgersvektoren berechnet. Danach sind $a/2$ ⟨110⟩- und a ⟨100⟩-Schraubenversetzungen möglich. Es soll nun angenommen werden, daß eine zur Oberfläche durchstoßende Schraubenversetzung mit dem Burgersvektor $a/2$ ⟨110⟩, die also auf der Oberfläche eine Stufe mit der Höhe von einem Netzebenenabstand $a/2$ hervorruft, beim Abdampfen die einfache runde Spirale erzeugt. Die Höhe der Lamellenstufe einer einfachen runden Spirale sollte damit $a/2$ sein. Nun zeigt aber die Fig. 14, daß die doppelte runde Spirale die gleiche Stufenhöhe hat, weil nämlich gerade immer eine Lamellenstufe der einfachen runden Spirale auf nur eine Stufe der doppelten runden Spirale trifft, und sich zu einer gemeinsamen Stufe vereint (siehe Pfeil in Fig. 14). Ausgehend

[8]) Die Angaben beziehen sich auf die im Ofen dicht über dem Kristall gemessene Temperatur. Da die Erwärmung des Kristalls durch Strahlung und Wärmeleitung über die Unterlage erfolgt, ist die genaue Temperatur der abdampfenden Fläche nicht gut definiert.

[9]) Wie in der Bildunterschrift bemerkt, diente als Ausgangsfläche eine in freier Atmosphäre erzeugte Würfelspaltfläche. Dies gilt auch für die nachfolgenden Aufnahmen der Abdampfstrukturen.

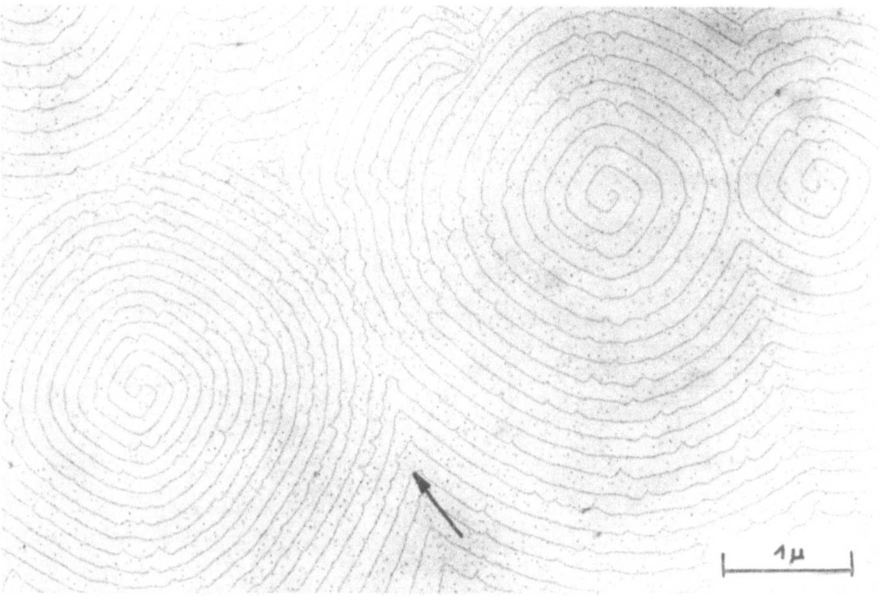

Fig. 14. Doppelte und einfache runde Abdampfspiralen. Abdampfbedingungen: Hochvakuum, 450 °C, 30 min. Präparation: Golddekoration. Vergrößerung 18000-fach

von der Stufenhöhe $a/2$ bietet sich für die doppelte runde Spirale folgende Erklärung. Primär lag eine Schraubenversetzung mit dem Burgersvektor $a \langle 100 \rangle$ vor; dicht unter der Oberfläche ist diese aber aufgespalten gemäß der Reaktion $a \langle 100 \rangle \rightarrow a/2 \langle 110 \rangle + a/2 \langle 1\bar{1}0 \rangle$. Dadurch entstehen dicht benachbart auf der Oberfläche zwei Stufen, wie in Fig. 15b dargestellt. Es beginnt dann an jeder Stufe der Abdampfvorgang, und insgesamt entsteht das Bild der doppelten runden Spirale mit Lamellenstufen der Höhe $a/2$. Zur Diskussion der viereckigen Spiralen dient die Zeichnung der Fig. 15a und die Aufnahme der Fig. 16, auf der die Wechselwirkung einer viereckigen Spirale mit dicht daneben liegender einfacher und doppelter Spirale zu erkennen ist. Es ist festzustellen, daß jeweils zwei Stufen der runden Spiralen auf eine gerade Stufe der viereckigen treffen. Daraus folgt die doppelte Stufenhöhe (von einer Gitterkonstanten $= a$) für die Lamellen der viereckigen Spirale. Die auslösende Schraubenversetzung hat den Burgersvektor $a\langle 100 \rangle$, ist aber im Gegensatz zum Fall der doppelten runden Spirale nicht aufgespalten. Aus dem Bild der runden und viereckigen Spiralen folgt noch eine für die theoretische Betrachtung der molekularen Vorgänge beim Kristallabbau wichtige Aussage. Der Abbau an einer Stufe mit der Höhe $a/2$ erfolgt wegen des etwa kreisförmigen Verlaufes der Spirallamellen mit isotroper Abdampfgeschwindigkeit. An den eine Gitterkonstante hohen Stufen ist die Abdampfgeschwindigkeit dagegen anisotrop und muß — da die geraden Stufen der viereckigen Spirale parallel zu den Würfelkanten liegen — in $\langle 110 \rangle$-Richtung größer sein. Da hier, weil nicht zum Thema gehörig, auf diese Fragen nicht weiter eingegangen werden soll[10], sei auf die Arbeit [34] verwiesen, in der hierzu eine

[10]) Eine Publikation (gemeinam mit W. KELLER), in der die hier mitgeteilten Ergebnisse unter dem Gesichtspunkt der Theorie des Kristallabbaues behandelt werden, ist für die Z. f. Kristallographie in Vorbereitung.

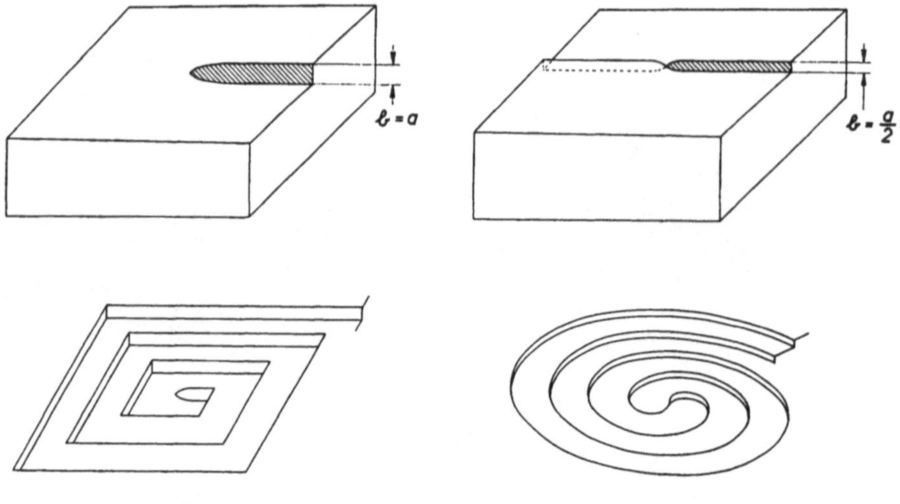

Fig. 15. Schematische Zeichnung zur Bildung von viereckigen und doppelten runden Abdampfspiralen

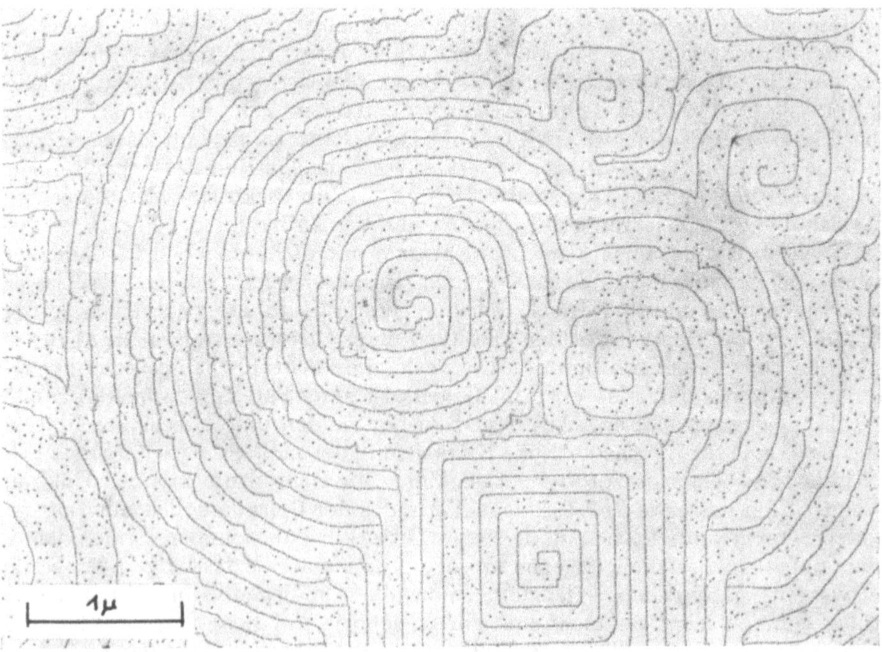

Fig. 16. Viereckige und runde Abdampfspiralen. Abdampfbedingungen: Hochvakuum, 450 °C, 30 min. Präparation: Golddekoration. Vergrößerung 22000-fach

ausführlichere Diskussion und erste Ansätze zur rechnerischen Erfassung mitgeteilt wurden.

Die Figuren 17 und 18 zeigen Beispiele für dicht beieinander liegende Schraubenversetzungen. Beide Aufnahmen machen besonders deutlich, welche Feinheiten in einem ja immer einige μ großen, durch chemisches Ätzen erzielten Grübchen überdeckt sein können. Nach den vorstehend gegebenen Deutungen zum Zusammenhang zwischen Spiraltyp und Burgersvektor folgt für die drei Schraubenversetzungen der Fig. 17, daß ursprünglich im Kristall drei $a\langle 100\rangle$-Versetzungen vorgelegen haben. Es sind aber nach dem Durchschneiden nur die beiden äußeren Versetzungen im Oberflächenbereich aufgespalten[11]). Das Nichtaufspalten der mittleren Versetzung kann erklärt werden durch die einer Aufspaltung entgegenwirkenden Spannungshöfe der äußeren Versetzungen. Die Fig. 18 zeigt die Abdampfstruktur um zwei dicht benachbarte $a/2\ \langle 110\rangle$-Schraubenversetzungen mit einem Abstand von 0,7 μ. Der Windungssinn der beiden Spiralstufen ist entgegengesetzt, und der Durchstoßpunkt der unteren Versetzung liegt in einer um einen Netzebenenabstand tieferen Fläche gegenüber der oberen Versetzung. In gleichen Netzebenen liegende Lamellenstufen werden sich beim Aufeinanderzulaufen vereinigen und eine gemeinsame Stufe bilden. Da der Versetzungsabstand klein ist und der Niveauunterschied der beiden Ausgangsebenen nur $a/2$ beträgt, erfolgt die Vereinigung schon zwischen zweiter Lamellenstufe der oberen Versetzung und dritter Stufe der unteren. Dadurch liegen alle Stufen höherer Zahl als geschlossene Kreislamellen vor und würden bei Nichtbeachtung des Inneren einer Stufenversetzung zuzuordnen sein. Der unterschiedliche Windungssinn der Abdampfspiralen kann nur entstehen, wenn die Ausgangspositionen der zu den Schraubenversetzungen gehörenden Stufen einen entgegengesetzten Stufensinn haben, wie es die Fig. 19 zeigt. Sind beide Versetzungen unabhängig voneinander, dann kann der Unterschied im Stufensinn durch unterschiedliche Vorzeichen der Burgersvektoren bedingt sein. Gehören dagegen die beiden Durchstoßpunkte zu einer

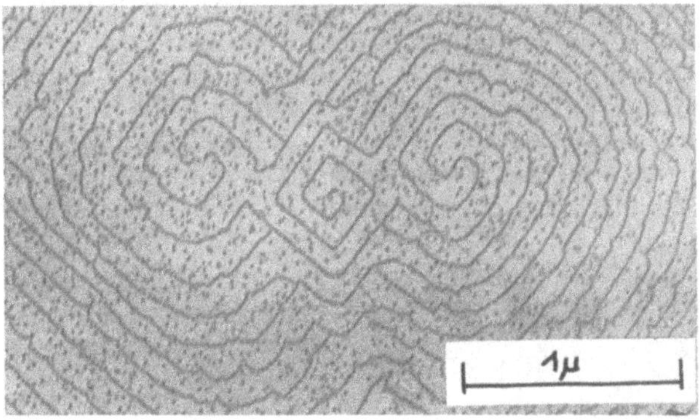

Fig. 17. Abdampfspiralen um dicht benachbarte Schraubenversetzungen. Abdampfbedingungen: Hochvakuum, 550 °C, 10 min. Präparation: Golddekoration. Vergrößerung 25000-fach

[11]) Erwähnt sei, daß zur Ursache der Aufspaltung von $a\langle 100\rangle$-Versetzungen mehrere Deutungen möglich sind. Es kann einmal die bei der Kristallspaltung in der Rißfront vorhandene Spannungskonzentration für die Aufspaltung verantwortlich sein, zum anderen könnte die Aufspaltung aber auch erst bei der Erwärmung des Kristalls zum Abdampfen erfolgen. Für die erste Deutung spricht, daß dann die Versuchsführung der Kristallspaltung von Einfluß sein kann. Damit wäre zu erklären, daß verschiedentlich auf einer Spaltfläche kaum doppelte runde, aber mit großer Häufigkeit viereckige Abdampfspiralen aufzufinden sind.

Fig. 18. Abdampfspiralen mit entgegengesetztem Windungssinn. Abdampfbedingungen: Hochvakuum, 450 °C, 30 min. Präparation: Golddekoration. Vergrößerung 18000-fach

Versetzungsschleife, die ja durch *einen* Burgersvektor beschrieben wird, dann darf aus dem unterschiedlichen Stufensinn nicht einfach auf im Vorzeichen verschiedene Burgersvektoren geschlossen werden. Bemerkenswert sind auch die etwa in der Mitte der Fig. 18 innerhalb des linken Lamellensystems liegenden, nur wenig ausgebildeten Abdampfspiralen. Die zugehörigen Versetzungen können erst während der Abdampfung zur Oberfläche durchgestoßen sein, nachdem bereits eine Lamellenstruktur vorlag. Da die Lamellenebenen auf den die nur im Anfangsstadium ausgebildeten Spiralen liegen, selbst laufend abgebaut werden, ist eine ungestörte und ausgedehnte Entwicklung von Abdampfspiralen für die später durchgestoßenen Versetzungen nicht möglich.

Ein ausgedehntes System von Kreislamellen um den Durchstoßpunkt einer Stufenversetzung ist in der Fig. 20 wiedergegeben. Die Stufenhöhe beträgt ebenfalls nur einen Netzebenenabstand; im Bereich der Wechselwirkung von Kreis-

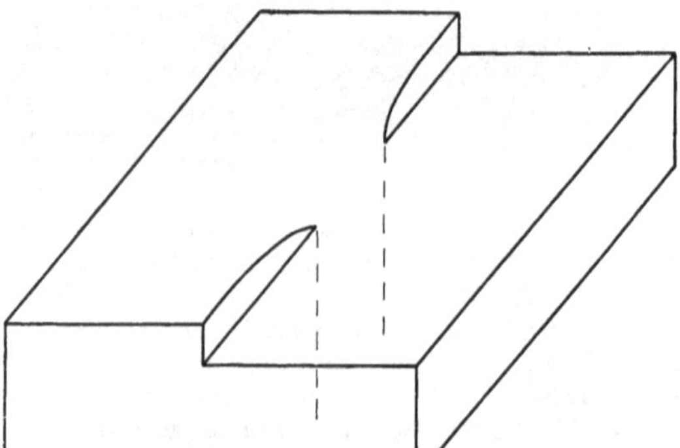

Fig. 19. Lagen der Stufen zur Bildung von Abdampfspiralen mit entgegengesetztem Windungssinn nach Fig. 18

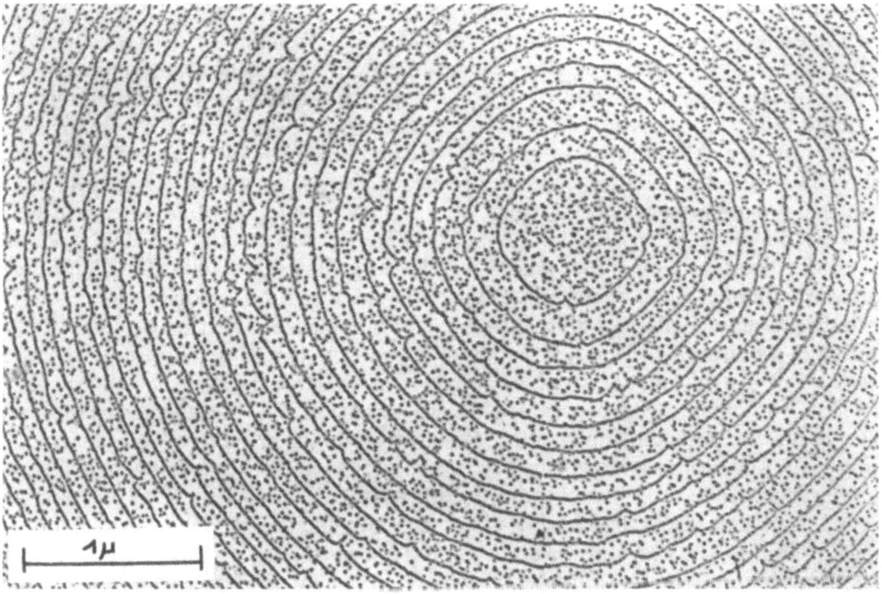

Fig. 20. Geschlossene, ringförmige Abdampflamellen um eine Stufenversetzung. Abdampfbedingungen: Hochvakuum, 550 °C, 10 min. Präparation: Golddekoration. Vergrößerung 25000-fach

lamellen mit runden Abdampfspiralen (Fig. 13) trifft eine Stufe des einen Systems gerade immer auf eine Stufe des anderen. Wie zur Erklärung der für die Hochvakuumabdampfung typischen Strukturelemente schon erwähnt, ist die Zuordnung der Kreislamellen zu den Stufenversetzungen nicht so unmittelbar gegeben. Wird eine Stufenversetzung — nach HUNTINGTON [33] sollten nur solche mit dem Burgersvektor $a/2\langle 110\rangle$ möglich sein — von einer Spaltfläche durchschnitten, dann liegt auf der im Bereich der Versetzung als atomar eben anzunehmenden Oberfläche nur eine Störung in der Anordnung der die Oberfläche schneidenden Netzebenen vor. Nach den bekannten Modellbildern einer Stufenversetzung ist im einfachsten Fall eines primitiven Gitters entlang der die Oberfläche durchstoßenden Versetzungslinie eine „zusätzliche Netzebene eingeschoben". Für das NaCl-Gitter zeigt die Fig. 21 die durch eine $a/2\langle 110\rangle$-Versetzung bedingte Anordnung der Ionen in der Würfelfläche. Für die Entstehung von Kreislamellen als Abdampfstruktur um den

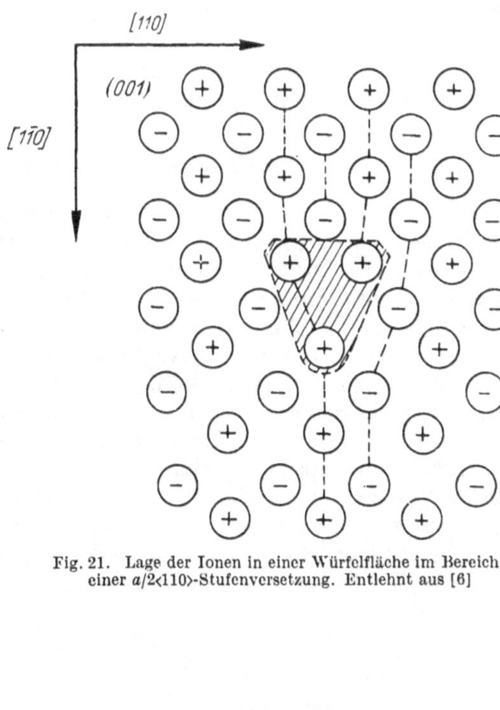

Fig. 21. Lage der Ionen in einer Würfelfläche im Bereich einer $a/2\langle 110\rangle$-Stufenversetzung. Entlehnt aus [6]

Durchstoßpunkt einer Stufenversetzung ist es nun notwendig, daß in der abgeschlossenen Ebene zunächst ein Lochkeim gebildet wird, von dem aus dann der weitere tangentiale Abbau erfolgt. Für die Entstehung jeder weiteren Kreislamelle ist dann jeweils erneut die Bildung eines Lochkeimes notwendig. Während der einmal ausgelöste tangentiale Abbau nach der in der Einleitung zu den Abdampfuntersuchungen kurz beschriebenen Kossel-Stranskischen Theorie ohne weiteres zu verstehen ist, bedarf es zur Bildung eines Lochkeimes einer besonderen Erklärung. Wie zur Zeichnung der Fig. 10 beschrieben, muß für die erste Herauslösung eines Bausteines aus einer abgeschlossenen Netzebene die Energie Φ_3 aufgebracht werden, die größer ist als die für alle anderen Abbaumöglichkeiten notwendige Energie. Auf einer ungestörten Ebene sollte deshalb dieser Schritt nur mit geringster Wahrscheinlichkeit vorkommen. Wie nun aber aus der Fig. 21 zu entnehmen, ist in der durch die schraffierte Fläche markierten Umgebung der durchstoßenden Versetzung eine Anordnung von Ionen gleichen Vorzeichens gegeben derart, daß diese notwendig eine geringere Bindungsenergie besitzen als ein Ion in einer ungestörten äußeren Netzebene. Die zur Bildung eines Lochkeimes erforderliche Energie ist also im Störungsbereich des Durchstoßpunktes einer Stufenversetzung herabgesetzt. Dennoch liegt diese höher als die bei der Entstehung von Abdampfspiralen entscheidende Energie zur Ablösung eines Moleküls aus der Halbkristallage. Dies zeigt sich im Experiment. Die bei niederen Temperaturen (um 400 °C) erzielten Abdampfstrukturen zeigen überwiegend nur Spiralen. Vereinzelt zu beobachtende Kreissysteme bestehen nur aus wenigen Stufen mit merklich größeren Lamellenbreiten als bei den Abdampfspiralen. Erst bei höherer Temperatur sind die Kreissysteme und die Abdampfspiralen in bezug auf Stufenzahl und Lamellenbreite gleich ausgebildet. Bei zur Lochkeimbildung hinreichender Temperatur, aber nur kurzer Abdampfzeit sind mit großer Häufigkeit Kreislamellen aufzufinden, zumeist jedoch nicht in konzentrischen Systemen mit einer größeren Zahl von Stufen. Ein Beispiel gibt die Fig. 13. Hier ist nicht ohne weiteres auf vorliegende Stufenversetzungen zu schließen. Es ist wahrscheinlich, daß auf der Ausgangsfläche Störungen vorliegen, die bis zu einer Tiefe von einigen Netzebenen eine Lochkeimbildung ermöglichen. Ein gesichert erscheinender Zusammenhang zwischen ringförmigem Lamellensystem und Stufenversetzung ist erst nach genügender Abtragung gegeben.

4. Wachstumsstrukturen und Versetzungen

Im vorangehenden Kapitel wurde einleitend das Wichtigste zu dem durch die Versetzungen beeinflußten Kristallwachstum mitgeteilt. Sollen nun Wachstumsstrukturen auf einer Kristallfläche zur Erkennung von Versetzungen herangezogen werden, dann ist zunächst die Frage nach den geeigneten Bedingungen zur Auslösung des Wachstums auf einer vorgegebenen Kristalloberfläche zu klären. Von der Theorie des Kristallwachstums ausgehend, wäre ein genügend langsam ablaufender Wachstumsmechanismus zu fordern, so daß eine Keimbildung auf einer abgeschlossenen Netzebene möglichst unterdrückt wird. Von einem solchen Wachstum wäre um den Durchstoßpunkt von Schraubenversetzungen ein Aufwachsen von als Spiralen verlaufenden Lamellen zu erwarten, aus deren Abbildung die auslösenden Versetzungen beschrieben werden könnten. Experimentell sind die notwendigen Bedingungen aber sicher schwierig zu erfüllen, und zudem ist das von den auf einer Spaltfläche vorhandenen Stufen ausgehende tangentiale Wachstum für die Gesamterscheinung störend.

Fig. 22

Durch bevorzugtes Wachstum bei der NaCl-Aufdampfung „entwikkelte" Durchstoßpunkte von Versetzungen. Präparation: Kohleabdruck mit ThF_4 schräg bedampft. Vergrößerung 5000-fach

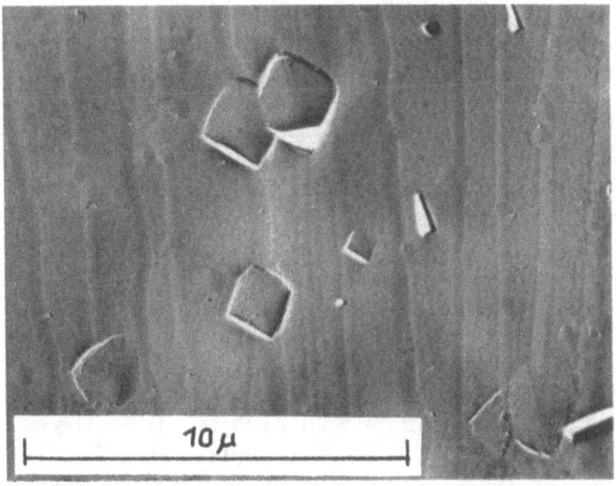

Ein anderer Weg folgt aus dem zur Abbildung von atomaren Stufen entwickelten Verfahren der Aufdampfung von NaCl. Zur Beschreibung ist in Kapitel 2 darauf hingewiesen, daß die Aufdampfgeschwindigkeit genügend hoch gewählt wurde, um ein von den Stufen ausgehendes tangentiales Flächenwachstum auszuschließen. Es soll an den Stufen nur eine bevorzugte Keimbildung stattfinden. Eine solche bevorzugte Keimbildung ist aber auch an den Durchstoßpunkten von Schraubenversetzungen zu erwarten. Die Untersuchungen ergaben dann auch, daß bei geeigneter Aufdampfgeschwindigkeit an einzelnen Zentren auf der Kristalloberfläche ein deutlich bevorzugtes Wachstum in flachen Pyramiden stattfindet. Die Fig. 22 zeigt einen Oberflächenbereich mit mehreren aufgewachsenen Pyramiden mit Kantenlängen von etwa 1 μ. Die vorkommenden Abstände der Zentren sind vergleichbar mit den aus den Abdampfuntersuchungen zu ermittelnden Versetzungsabständen. Eine sichere Entscheidung für die Identität der aufgewachsenen Pyramiden mit den Durchstoßpunkten von Schraubenversetzungen ist jedoch nur zu geben durch die Wachstumsstrukturen im Bereich von Kleinwinkelkorngrenzen. Ein Beispiel hierfür enthält das Kapitel über Kleinwinkelkorngrenzen im Teil II.

Eine besondere Erscheinung des Wachstums auf Oberflächen konnte im Zusammenhang mit Untersuchungen zur Klärung der Spaltstruktur aufgefunden werden. Dieser Wachstumsmechanismus, der in den erzeugten Strukturen durchaus überraschend den Vorstellungen der Theorie entspricht, erweist sich für spezielle Fragestellungen als sehr geeignet.

Oberflächenstrukturen mit gekrümmt verlaufenden Stufen, wie sie typisch die Figuren 6 und 8 zeigen, wurden bisher als Spaltstrukturen bezeichnet [35, 36]. Dies schien gerechtfertigt, denn die Strukturen wurden ja auf Spaltflächen beobachtet, die durch Schlagspaltung und wie üblich in freier Atmosphäre erzeugt waren. Eine Deutung dieser Strukturen bereitet jedoch außerordentliche Schwierigkeiten, und es schien zunächst sinnvoll, die Spaltstrukturen frei von irgendwelchen Einflüssen der äußeren Atmosphäre durch Spaltung im Hochvakuum zu sichern. Der dazu notwendige experimentelle Aufwand[12]) erschien auch ge-

[12]) Die Apparatur ermöglicht eine Temperung, Spaltung, Plastizierung und Aufdampfung zur Präparation, ohne daß zwischen den einzelnen Arbeitsgängen der Rezipient belüftet zu werden braucht.

rechtfertigt durch die Ergebnisse der schon zitierten Arbeiten von Aerts und Dekeyser [30], wonach der atmosphärische Stickstoff von Einfluß auf die Sprödigkeit des NaCl-Kristalles sein soll.

Die im Hochvakuum erzeugten Spaltflächen zeigten nun überraschend eine völlig andere Struktur. Es sind vorwiegend gerade, nur einige μ lange Stufen zu beobachten, die ein etwa blitzartiges Muster bilden (siehe hierzu die Abbildungen zum Kapitel Spaltstruktur in Teil II). Diese Strukturen wurden als „elementare Spaltstruktur" bezeichnet [37]. Um die Diskrepanz der unterschiedlichen Struktur zu klären, wurde in der Vakuumapparatur die Kristallspaltung in variierter Atmosphäre durchgeführt. Es ergab sich eindeutig, daß die verrundeten „Spaltstrukturen" nur bei Anwesenheit von Wasserdampf auftraten. Für die Strukturen der Figuren 6 und 8 ist somit der Einfluß der Luftfeuchtigkeit der freien Atmosphäre entscheidend. Im einzelnen ergibt sich für die Entstehung der verrundeten Strukturen folgendes Bild. Primär entsteht auch bei der Spaltung in freier Atmosphäre die elementare Spaltstruktur. Der Wasserdampf der Luft kondensiert aber sofort auf der Spaltfläche und löst diese in einer dünnen Oberflächenschicht an. Auf relativ ungestörten, d. h. nur die elementare Spaltstruktur zeigenden Bereichen, werden sicher nur wenige Netzebenen angelöst. In gestörten Bereichen, etwa an gröberen Spaltstufen und auch im Bereich der Durchstoßpunkte von Schraubenversetzungen, erfolgt eine stärkere Anlösung. Wird nun der Kristall zur Ausführung der Präparationsbedampfung unter Vakuum gebracht, dann wachsen die zuvor gelösten Kristallbausteine wieder auf und bilden dabei eine Lamellenstruktur. Die Stufen der Figuren 6 und 8 sind Lamellenstufen eines solchen Wachstums. Für ein ausgeprägteres Wachstum im Bereich der durchstoßenden Schraubenversetzungen erwies sich folgende Behandlung als zweckmäßig. Nach der Kristallspaltung in freier Atmosphäre wird der Kristall einer gesättigten Wasserdampfatmosphäre in einer geschlossenen Petrischale für eine Zeit von 10 bis 20 sec ausgesetzt. Sofort danach kommt der Kristall in die Vakuumapparatur, und nach Erreichung eines Vakuums von 10^{-4} Torr wird der Kristall auf 150 °C erwärmt. Bei einem Vakuum von 10^{-5} Torr erfolgt dann die Goldbedampfung.

Die Figuren 23 und 24 zeigen unter den vorstehenden Bedingungen gebildete Wachstumsstrukturen um Durchstoßpunkte von Schraubenversetzungen. In der Fig. 23 sind auf dem nur wenige Netzebenen hohen Spiralhügel die Lamellen erstaunlich breit ausgebildet. Die Fig. 24 zeigt dagegen eine sehr dichte Lamellierung einer höheren Wachstumsstruktur. Bemerkenswert auf beiden Aufnahmen ist, daß die Versetzungen nach beendigtem Wachstum sich aus ihrer ursprünglichen Lage herausbewegt und als Spur eine Gleitlinie hinterlassen haben. In der Fig. 24 wurde die Versetzung beim Erreichen der dichtliegenden Wachstumslamellen wieder gestoppt. Ein Auswandern der Versetzungen konnte bei den untersuchten Spiralhügeln oftmals aufgefunden werden. Als mögliche Ursachen kommen in Frage, daß einmal die Versetzung blockierende Spannungen durch Wachstum aufgehoben werden, zum andern kann aber auch der umgekehrte Fall vorliegen, d. h. daß durch das Aufwachsen Spannungen aufgeprägt werden, die eine Bewegung auslösen.

Daß die beobachteten Spiralstrukturen die Abbildung von „Spiralhügeln" darstellen, konnte leicht bewiesen werden. Hierzu wurden die Wachstumsstrukturen kurzzeitig abgedampft. Zu Beginn der Hochvakuumabdampfung bilden sich an vorgegebenen Stufen auf der Kristalloberfläche etwa ringförmige Einbuchtungen aus, die dadurch das höhere Niveau an der Stufe erkennen lassen. Beim Ab-

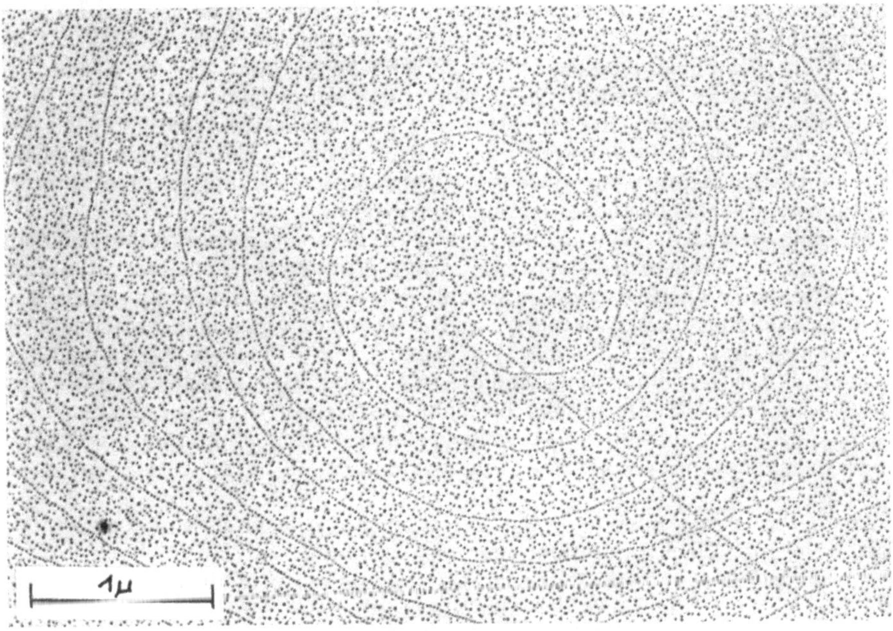

Fig. 23. Beim Wachstum aus einer angelösten Oberflächenschicht entstandene Wachstumsspirale. Präparation: Golddekoration. Vergrößerung 25000-fach

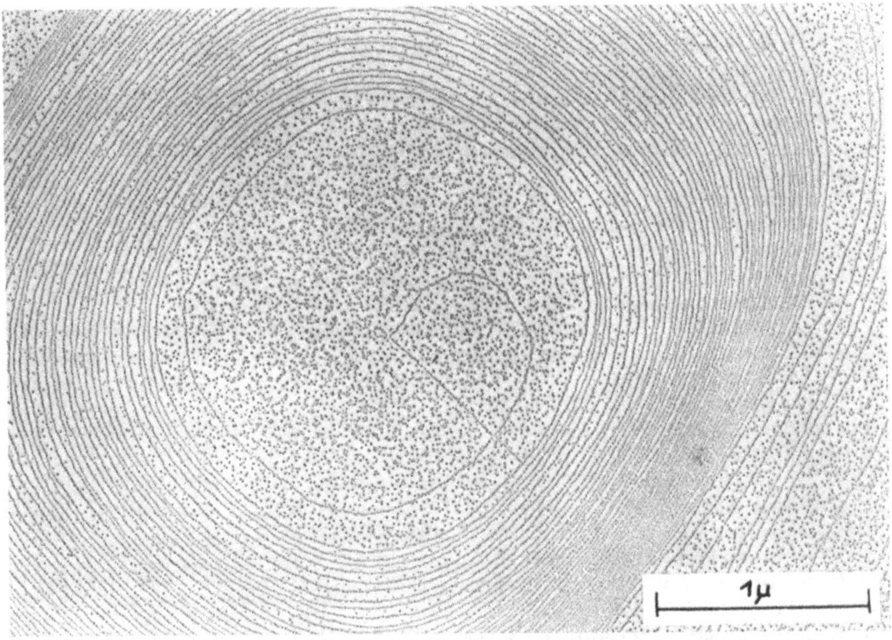

Fig. 24.. Aus angelöster Oberflächenschicht aufgewachsener Spiralhügel mit dicht liegenden Lamellenstufen. Präparation: Golddekoration. Vergrößerung 30000-fach

dampfen an den Wachstumsspiralen sind die Einbuchtungen immer zum Zentrum hin gerichtet. Aus den Einzelheiten der Abdampfstrukturen ist auch auf die Stufenhöhe der abdampfenden Stufen zu schließen. Nach einer vergleichenden Betrachtung sollte die Stufenhöhe in den beiden voranstehenden Aufnahmen jeweils nur einen Netzebenenabstand betragen, und damit wären für die zugehörigen Versetzungen $a/2\langle 110\rangle$-Burgersvektoren anzunehmen. Ein Abbildungsbeispiel für eine Wachstumsstruktur, die auf eine Schraubenversetzung mit dem Burgersvektor $a\ \langle 100\rangle$ schließen ließe, liegt noch nicht vor.

Erwähnt sei, daß der Wachstumsvorgang aus der angelösten Schicht noch nicht in allen Einzelheiten verstanden werden kann. Für den sich ausbildenden Stufenverlauf scheinen auch Oberflächenspannungen mit entscheidend zu sein. Es ist nicht anzunehmen, daß etwa nur ein an der Versetzung kondensiertes Tröpfchen einfach auskristallisiert. Für das Wachstum ist ein Transport von Kristallbausteinen aus der Umgebung nötig, und die auslösenden Bedingungen hierfür sollten die gleichen sein, wie die zur Beschreibung des Wachstums von „whiskers" notwendigen. Diese Analogie wird besonders durch die Fig. 24 gestützt; der Spiralhügel hat in diesem Beispiel eine Höhe von einigen 10 Netzebenenabständen erreicht.

Als Methode zur Darstellung der Versetzungen in einer Kristalloberfläche ist der Anlösungs-Wachstumseffekt der Abdampfung im Hochvakuum unterlegen, vor allem weil keine gesicherte Darstellung der Stufenversetzung gegeben ist. Das Verfahren bewährt sich aber außerordentlich für die noch zu beschreibenden Untersuchungen an elementaren Gleitlinien.

Eine zusammenfassende Diskussion wird am Schluß des Teils II dieses Berichts gegeben.

Literatur

[1] Eine neuere knappe Zusammenfassung findet sich bei H. Pick, Nuovo Cim. Suppl. 7, 498 (1958).

[2] J. M. Hedges und J. W. Mitchell, Phil. Mag. 44, 223 (1953).

[3] E. Rexer, Z. Phys. 76, 735 (1932).

[4] S. Amelinckx, W. van der Vorst, R. Gevers und W. Dekeyser, Phil. Mag. 46, 450 (1955).

[5] S. Amelinckx, Phil. Mag. 1, 269 (1956) und in Dislocations and Mechanical Properties of Crystals (Lake Placid Conf.), New York 1957.

[6] S. Amelinckx, Nuovo Cim. Suppl. 7, 569 (1958).

[7] D. J. Barber, K. B. Harvey und J. W. Mitchell, Phil. Mag. 2, 704, (1957).

[8] W. Bontinck und S. Amelinckx, Phil. Mag. 2, 94 (1957).
S. Amelinckx, W. Bontinck, W. Dekeyser und F. Seitz, Phil. Mag. 2, 355 (1957).
S. Amelinckx in Dislocations and Mechanical Properties of Crystals (Lake Placid Conf.), New York 1959.

[9] S. Amelinckx, Acta Metall. 2, 848 (1954).

[10] J. J. Gilman und W. G. Johnston in Dislocations and Mechanical Properties of Crystals (Lake Placid Conf.), New York 1959.

[11] W. G. Johnston und J. J. Gilman, J. appl. Phys. 30, 129 (1959).

[12] H. Mahl, Naturw. 30, 207 (1942).

[13] D. E. Bradley, Brit. J. appl. Phys. 10, 198 (1959).

[14] H. Bethge, Fortschr. Mineralogie 35, 156 (1957).

[15] H. Bethge in Vierter Intern. Kongr. f. Elektronenmikroskopie 1958, Springer-Verlag, Berlin 1960 (S. 409).

[16] H. Bethge und V. Schmidt, Z. Naturf. 14a, 307 (1959).

[17] H. Jagodzinski in Hdb. d. Physik, Bd. VII/1, Springer-Verlag, Berlin 1955 (S. 100)

[18] D. E. BRADLEY, Brit. J. appl. Phys. **5**, 65 (1954).
[19] G. A. BASSETT, Phil. Mag. **3**, 1042 (1958).
[20] R. A. LAD, J. appl. Phys. **23**, 800 (1952).
[21] P. A. THIESSEN, Z. Elektrochem. **48**, 675 (1942).
[22] D. A. VERMILYEA, Acta Metall. **6**, 381 (1958).
[23] W. KOSSEL, Leipziger Vorträge 1928, Leipzig 1928.
[24] I. N. STRANSKI, Z. Phys. Chem. **A136**, 259 (1928).
[25] W. K. BURTON, N. CABRERA und F. C. FRANK, Phil. Trans. Roy. Soc. **A243**, 299 (1951).
[26] A. J. FORTY, Advances Phys. **3**, 1 (1954).
[27] I. M. DAWSON und N. G. ANDERSON, Proc. Roy. Soc. **A218**, 255 (1953).
[28] E. KERN und H. PICK, Z. Phys. **134**, 610 (1953).
[29] S. AMELINCKX und E. VOTAVA, Naturw. **41**, 422 (1954).
[30] K. AERTS und W. DEKEYSER, Acta Metall. **4**, 557 (1956).
[31] H. BETHGE und W. KELLER, Phys. Verh. **10**, 205 (1959) und Z. Naturf. **15**a, 271 (1960).
[32] H. BETHGE, Phys. Blätter **16**, 223 (1960).
[33] H. B. HUNTINGTON, J. E. DICKEY und R. THOMSON, Phys. Rev. **100**, 1117 (1955).
[34] H. BETHGE und W. KELLER, Proc. Eur. Reg. Conf. on Electron Microscopy, Vol. I, Delft 1960, (S. 266).
[35] C. SELLA, P. CONJEAUD und J. J. TRILLAT, C. R. Acad. Sci. Paris **249**, 1987 (1959).
[36] G. A. BASSETT, J. W. MENTER und D. W. PASHLEY, Disc. Faraday Soc. Nr. 28, 7 (1959).
[37] H. BETHGE, G. KÄSTNER und M. KROHN, Z. Naturf. **16**a, 321 (1961).

(Received November 8, 1961)

Original Papers

Institut für Theoretische Physik, Naturwissenschaftliche Fakultät, Brno ČSSR (a) *und Mathematisches Institut der Ungarischen Akademie der Wissenschaften, Budapest* (b)

Allgemeine Behandlung primitiver idealer und nichtidealer Kristallgitter mit Anwendung der Theorie der Hypermatrizen

Von

O. Litzman (a) und P. Rózsa (b)

Vom Modell von J. de Launay ausgehend werden die allgemeinen Bewegungsgleichungen für ideale und nichtideale Kristallgitter in Matrizenform dargestellt. Infolge der Born-Kármánschen Randbedingungen können die so auftretenden Matrizen als aus zyklischen Blöcken bestehende Hypermatrizen aufgefaßt werden. Diese Formulierung ermöglicht die allgemeine mathematische Behandlung der Bewegungsgleichungen. Für den Fall der Kristallgitter mit Fehlstellen wurden einige neue Resultate erhalten. Die vorgelegte Theorie wird am Beispiel des raumzentrierten kubischen Gitters illustriert.

Using the model due to J. de Launay, the general equations of motion for ideal and non-ideal crystal-lattices are given in a matrix form. Taking into account the Born-Kármán's periodic boundary conditions, matrices occurring in the equations of motion can be considered as hypermatrices composed of cyclic submatrices. Thus a suitable mathematical formulation is obtained for the discussion of the general equations of motion. In the case of crystals containing defects some new results are given. The theoretical considerations are applied to the body-centered cubic lattice.

Einleitung

Die heutige Gittermechanik beruht auf klassischen Arbeiten von M. Born und Th. Kármán [1]. Die Bewegungsgleichungen für die Atome eines primitiven Kristallgitters haben die Form

$$M \ddot{s}_i^{\boldsymbol{m}} = -\sum_{\boldsymbol{n}, j} V_{ij}^{\boldsymbol{m}\boldsymbol{n}} s_j^{\boldsymbol{n}} .$$

Wegen der translatorischen Symmetrie des idealen Kristalls gilt

$$V_{ij}^{\boldsymbol{m}\boldsymbol{n}} = f(\boldsymbol{m} - \boldsymbol{n}; i, j) .$$

Dies ermöglicht, die Bewegungsgleichungen auf ein System von Differenzengleichungen zu bringen, das durch den üblichen Ansatz ebener Wellen gelöst wird. Diese Methode ist heute in den meisten Arbeiten über Kristallgittermechanik üblich. In einigen dieser Arbeiten, z. B. in [2, 3, 4], wird auf den tieferen Zusammenhang mit der Matrizentheorie hingewiesen.

In der vorliegenden Arbeit werden allgemeine Bewegungsgleichungen für ideale und nichtideale primitive Kristallgitter formuliert. Diese Matrizenfassung der Bewegungsgleichungen ist sehr übersichtlich und allgemein und führt auf neue Ergebnisse bezüglich der Kristallgitter mit Fehlstellen.

In 1. wird ein kurzer Überblick über direkte Produkte gegeben, um die weiteren Überlegungen zu erleichtern. In 2. werden die allgemeinen Bewegungsgleichungen in einer Matrizenform dargestellt und in 3. werden diese Gleichungen für den Fall eines idealen Gitters spezialisiert und auf Grund der allgemeinen Theorie der Matrizen näher diskutiert. In 4. wird eine Methode vorgelegt, mit der man die null- und mehrdimensionalen Fehlstellen in Matrizenform in Betracht ziehen kann. In 5. wird eine Gleichung für die Frequenzen der nichtidealen Gitter aufgestellt. Bei der Aufstellung dieser Gleichung spielt die Umkehrmatrix der dynamischen Matrix des idealen Gitters eine entscheidende Rolle. Die Elemente dieser Umkehrmatrix werden für den allgemeinen Fall in Integralform angegeben. Im letzten Abschnitt wird ein kurzes Beispiel besprochen (raumzentriertes kubisches Gitter).

Einige Resultate über die Berechnung des Frequenzspektrums von Legierungen sollen in einer weiteren Arbeit dargelegt werden.

1. Mathematische Gundlegungen

Die in der Gittermechanik auftretenden Hypermatrizen ([5], Bd. 1, S. 38) können mittels des direkten Produkts einfacherer Matrizen geschrieben werden.

Das direkte Produkt quadratischer Matrizen

$$\boldsymbol{A} = \|a_{j\,k}\|_1^m, \qquad \boldsymbol{B} = \|b_{p\,q}\|_1^n$$

ist folgendermaßen definiert ([6] S. 81)[1])

$$(\boldsymbol{A} \times \boldsymbol{B})_{j\,p;\,k\,q} = a_{j\,k}\, b_{p\,q}\,.$$

Das direkte Produkt $\boldsymbol{A} \times \boldsymbol{B}$ ist also eine Hypermatrix, deren Zeilen durch zwei Indizes $j\,p$, und deren Spalten durch zwei Indizes $k\,q$ numeriert werden.

Es gilt:

$$(\boldsymbol{A} \times \boldsymbol{B}) \times \boldsymbol{C} = \boldsymbol{A} \times (\boldsymbol{B} \times \boldsymbol{C})\,,$$

$$(\boldsymbol{A}_1 \times \boldsymbol{B}_1) \cdot (\boldsymbol{A}_2 \times \boldsymbol{B}_2) = (\boldsymbol{A}_1 \cdot \boldsymbol{A}_2) \times (\boldsymbol{B}_1 \cdot \boldsymbol{B}_2)\,,$$

wobei die beiden Matrizen $\boldsymbol{A}_i$ ($i = 1, 2$) (bzw. $\boldsymbol{B}_i$) von der Ordnung m (bzw. n) sein müssen.

In der vorliegenden Arbeit werden die üblichen Born-Kármánschen periodischen Randbedingungen benutzt. Das physikalische Modell gewinnt dadurch eine *zyklische* Symmetrie, welche bei der mathematischen Formulierung im Auftreten *zyklischer* Matrizen zum Ausdruck kommt. Wie leicht einzusehen ist, kann jede zyklische Matrix N_1-ter Ordnung als Polynom der sogenannten primitiven zyklischen Matrix

$$\boldsymbol{\Omega} = \begin{bmatrix} 0 & 1 & 0 & \dots & 0 \\ 0 & 0 & 1 & \dots & 0 \\ & & & \ddots & \\ & & & & 1 \\ 1 & 0 & 0 & \dots & 0 \end{bmatrix} \begin{matrix} (1 \\ (2 \\ \\ \\ (N_1 \end{matrix}$$

geschrieben werden. Es gilt nämlich für die Elemente der Potenzen von $\boldsymbol{\Omega}$

$$[\boldsymbol{\Omega}^p]_{i\,j} = \delta_{i,\,j-p \bmod N_1} \qquad \text{für} \quad p = 0, \pm 1, \pm 2, \dots \tag{1.1}$$

Bei Benutzung des Kroneckerschen Symbols sind die Indizes modulo N_1 zu verstehen.

Im weiteren werden die Eigenwerte und die Eigenvektoren der Matrix $\boldsymbol{\Omega}$ benötigt. Es ist leicht einzusehen, daß die Eigenwerte

$$\varkappa_k = e^{i\frac{2\pi k}{N_1}} \qquad k = 0, 1, \dots, N_1 - 1 \tag{1.2}$$

[1]) Es sei bemerkt, daß in der Physik meistens das rechtsseitige direkte Produkt benutzt wird, welches man in der mathematischen Literatur als $\boldsymbol{A} \times \cdot \boldsymbol{B}$ bezeichnet.

und die normierten Eigenvektoren die Spalten der folgenden unitären Matrix sind ([7] S. 90)

$$\boldsymbol{U} = \frac{1}{\sqrt{N_1}} \begin{bmatrix} 1 & 1 & 1 & \ldots & 1 \\ 1 & \varkappa_1 & \varkappa_2 & \ldots & \varkappa_{N_1-1} \\ 1 & \varkappa_1^2 & \varkappa_2^2 & \ldots & \varkappa_{N_1-1}^2 \\ \cdot & \cdot & \cdot & \ldots & \cdot \\ 1 & \varkappa_1^{N_1-1} & \varkappa_2^{N_1-1} & \ldots & \varkappa_{N_1-1}^{N_1-1} \end{bmatrix} = [\boldsymbol{u}_0\, \boldsymbol{u}_1\, \boldsymbol{u}_2 \ldots \boldsymbol{u}_{N_1-1}] \,. \quad (1.3)$$

Mittels der Matrix $\boldsymbol{\Omega}$ definieren wir eine weitere Matrix $\boldsymbol{\Phi}^{\boldsymbol{p}}$ von der Ordnung $N = N_1^3$

$$\boldsymbol{\Phi}^{\boldsymbol{p}} = \boldsymbol{\Omega}^p \times \boldsymbol{\Omega}^q \times \boldsymbol{\Omega}^r \,. \quad (1.4)$$

Wir werden uns im weiteren mit dreidimensionalen primitiven Kristallgittern befassen, deren Gitterpunkte durch Indextripel numeriert werden. Es wird überall die lexikographische Anordnung der Indizes gebraucht und das Indextripel zu einem Vektor zusammengefaßt, wobei immer der erste Buchstabe zur Bezeichnung des Vektors benutzt wird, z. B. $\boldsymbol{l} = (l, m, n)$, $\boldsymbol{p} = (p, q, r)$. Für den Radiusvektor des Gitterpunktes $\boldsymbol{l}$ gilt also $\vec{R}^{\boldsymbol{l}} = l\,\vec{e}_1 + m\,\vec{e}_2 + n\,\vec{e}_3$, wo $\vec{e}_i$ die Basisvektoren des einfachen Kristallgitters sind.

Es ist leicht zu sehen, daß

$$\boldsymbol{\Phi}^{\boldsymbol{l}} \cdot \boldsymbol{\Phi}^{\boldsymbol{p}} = \boldsymbol{\Phi}^{\boldsymbol{l}+\boldsymbol{p}} \quad (1.5)$$

und

$$[\boldsymbol{\Phi}^{\boldsymbol{p}}]_{\boldsymbol{i}\,\boldsymbol{l}} = \delta_{\boldsymbol{i},\, \boldsymbol{l}-\boldsymbol{p}} \quad (1.6)$$

gilt. Es soll noch ein N-dimensionaler Vektor $\boldsymbol{x}$ definiert werden

$$\boldsymbol{x} = \|x_{l\,m\,n}\| \,, \qquad l, m, n = 1, 2, \ldots, N_1 \,. \quad (1.7)$$

Dann gilt

$$[\boldsymbol{\Phi}^{\boldsymbol{p}}\, \boldsymbol{x}]_{\boldsymbol{i}} = x_{\boldsymbol{i}+\boldsymbol{p}} \,, \qquad \boldsymbol{p} = (p, q, r) \,, \qquad p, q, r = 0, \pm 1, \pm 2, \ldots, \quad (1.8)$$

wobei die Indizes $i + p$, $j + q$, $k + r$ wieder mod N_1 zu verstehen sind.

2. Allgemeine Bewegungsgleichungen

Bei der Aufstellung der Bewegungsgleichungen gehen wir von einem oft benutzten Kräftemodell [8] aus. Die Kraft $\vec{\mathfrak{F}}_{\boldsymbol{l}}^{\boldsymbol{l}+\boldsymbol{p}}$, mit welcher das Atom $\boldsymbol{l} + \boldsymbol{p}$ auf das Atom $\boldsymbol{l}$ wirkt (Fig. 1), zerlegen wir in eine Radialkraft und in eine Winkelkraft:

$$\vec{\mathfrak{F}}_{\boldsymbol{l}}^{\boldsymbol{l}+\boldsymbol{p}} = \vec{F}_{\boldsymbol{l}}^{\boldsymbol{l}+\boldsymbol{p}}(r) + \vec{F}_{\boldsymbol{l}}^{\boldsymbol{l}+\boldsymbol{p}}(w) \,, \quad (2.1)$$

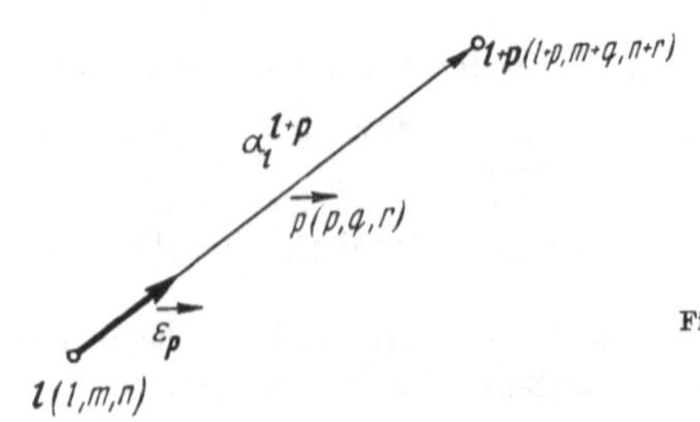

Fig. 1

wobei

$$\vec{F}_{\boldsymbol{l}}^{\boldsymbol{l}+\boldsymbol{p}}(r) = -\,\alpha_{\boldsymbol{l}}^{\boldsymbol{l}+\boldsymbol{p}}(r)\,[\vec{\varepsilon}_{\boldsymbol{p}} \cdot (\vec{s}_{\boldsymbol{l}} - \vec{s}_{\boldsymbol{l}+\boldsymbol{p}})]\,\vec{\varepsilon}_{\boldsymbol{p}} \,, \quad (2.2)$$

$$\vec{F}_{\boldsymbol{l}}^{\boldsymbol{l}+\boldsymbol{p}}(w) = -\,\alpha_{\boldsymbol{l}}^{\boldsymbol{l}+\boldsymbol{p}}(w)\,(\vec{s}_{\boldsymbol{l}} - \vec{s}_{\boldsymbol{l}+\boldsymbol{p}}) + \alpha_{\boldsymbol{l}}^{\boldsymbol{l}+\boldsymbol{p}}(w)\,[\vec{\varepsilon}_{\boldsymbol{p}} \cdot (\vec{s}_{\boldsymbol{l}} - \vec{s}_{\boldsymbol{l}+\boldsymbol{p}})]\,\vec{\varepsilon}_{\boldsymbol{p}} \,. \quad (2.3)$$

Wir führen die folgenden Bezeichnungen ein:

$\alpha_{\boldsymbol{l}}^{\boldsymbol{l}+\boldsymbol{p}}(r)$, $\alpha_{\boldsymbol{l}}^{\boldsymbol{l}+\boldsymbol{p}}(w)$ ... die Hooke'schen Konstanten der Radialkräfte und Winkelkräfte zwischen den Atomen $\boldsymbol{l}+\boldsymbol{p}$ und $\boldsymbol{l}$.

$\vec{\varepsilon}_{\boldsymbol{p}}(\lambda_{\boldsymbol{p}}, \mu_{\boldsymbol{p}}, \nu_{\boldsymbol{p}})$ ... der Einheitsvektor in der Richtung des Vektors $\vec{p}$.

$\lambda_{\boldsymbol{p}}, \mu_{\boldsymbol{p}}, \nu_{\boldsymbol{p}}$ sind seine Koordinaten im rechtwinkligen Koordinatensystem.

$\vec{s}_{\boldsymbol{l}}(x_{\boldsymbol{l}}, y_{\boldsymbol{l}}, z_{\boldsymbol{l}})$ ... die Auslenkung des Atoms $\boldsymbol{l}$ aus der Gleichgewichtslage.

$\boldsymbol{x} = \|x_{\boldsymbol{l}}\|$ ... ein Spaltenvektor, (d. h. eine Matrix, vom Typus $N|1$), der aus den Auslenkungen aller Atome in der Richtung der x-Achse zusammengestellt ist (1.7).

$\boldsymbol{y}, \boldsymbol{z}$ ... ähnlich wie $\boldsymbol{x}$ definiert.

$\boldsymbol{X} = \begin{Vmatrix} \boldsymbol{x} \\ \boldsymbol{y} \\ \boldsymbol{z} \end{Vmatrix}$ ... ein Hypervektor vom Typus $3\,N|1$.

$\boldsymbol{F}_x^{\boldsymbol{p}}(r)$ ... ein Spaltenvektor vom Typus $N|1$, der sich aus den x-Komponenten der Kräfte $\vec{F}_{\boldsymbol{l}}^{\boldsymbol{l}+\boldsymbol{p}}(r)$ zusammensetzt.

$\boldsymbol{F}^{\boldsymbol{p}}(r) = \begin{Vmatrix} \boldsymbol{F}_x^{\boldsymbol{p}}(r) \\ \boldsymbol{F}_y^{\boldsymbol{p}}(r) \\ \boldsymbol{F}_z^{\boldsymbol{p}}(r) \end{Vmatrix}$ ... ein Hypervektor vom Typus $3\,N|1$.

$\mathfrak{F}^{\boldsymbol{p}} = \boldsymbol{F}^{\boldsymbol{p}}(r) + \boldsymbol{F}^{\boldsymbol{p}}(w)$

$\boldsymbol{A}_{\boldsymbol{p}}(r)$ ... eine Diagonalmatrix N-ter Ordnung

$$[\boldsymbol{A}_{\boldsymbol{p}}(r)]_{\boldsymbol{l},\boldsymbol{i}} = \alpha_{\boldsymbol{l}}^{\boldsymbol{l}+\boldsymbol{p}}(r)\,\delta_{\boldsymbol{l},\boldsymbol{i}} \tag{2.4}$$

r, w bezeichnen die Radial- bzw. Winkelgrößen (wenn ein Mißverständnis ausgeschlossen ist, werden diese Argumente weggelassen).

$N = N_1^3$ ... die Anzahl der Atome im Born-Kármán'schen Grundgebiet des Kristalls.

$$\boldsymbol{\Psi}_{\boldsymbol{p}}(r) = \boldsymbol{A}_{\boldsymbol{p}}(r) \cdot (\boldsymbol{\Phi}^0 - \boldsymbol{\Phi}^{\boldsymbol{p}}) \tag{2.5}$$

$\boldsymbol{I}_n = \|\delta_{ij}\|_1^n$

$P = \{\vec{p}\}$ ... eine Menge von Vektoren. Ihre Elemente sind: Der Nullvektor und die Vektoren, welche einen beliebig ausgewählten Gitterpunkt des Kristallgitters mit jenen Nachbarn verbinden, deren Wechselwirkung in Betracht gezogen wird.

$\boldsymbol{M}$ ... eine Diagonalmatrix N-ter Ordnung

$$[\boldsymbol{M}]_{\boldsymbol{l},\boldsymbol{i}} = M_{\boldsymbol{l}}\,\delta_{\boldsymbol{l},\boldsymbol{i}} \tag{2.6}$$

$M_{\boldsymbol{l}}$ ... die Masse des Atoms im Gitterpunkt $\boldsymbol{l}$.

Der wesentlichste Schritt besteht darin, den Vektor $\mathfrak{F}^{\boldsymbol{p}}$, dessen Komponenten durch die Gleichungen (2.1), (2.2) und (2.3) gegeben sind, in Matrizenform auszudrücken. Wir bringen die Gleichung (2.2) auf eine Matrizenform, wobei der Index r vorübergehend weggelassen wird. Nach (2.2) und (2.5) gilt z. B.

$$\begin{aligned} F_{\boldsymbol{l},x}^{\boldsymbol{l}+\boldsymbol{p}} &= -\alpha_{\boldsymbol{l}}^{\boldsymbol{l}+\boldsymbol{p}}\lambda_{\boldsymbol{p}}\{\lambda_{\boldsymbol{p}}\cdot(x_{\boldsymbol{l}}-x_{\boldsymbol{l}+\boldsymbol{p}}) + \mu_{\boldsymbol{p}}\cdot(y_{\boldsymbol{l}}-y_{\boldsymbol{l}+\boldsymbol{p}}) + \nu_{\boldsymbol{p}}\cdot(z_{\boldsymbol{l}}-z_{\boldsymbol{l}+\boldsymbol{p}})\} \\ &= -\lambda_{\boldsymbol{p}}\{\lambda_{\boldsymbol{p}}(\boldsymbol{\Psi}_{\boldsymbol{p}}\boldsymbol{x})_{\boldsymbol{l}} + \mu_{\boldsymbol{p}}(\boldsymbol{\Psi}_{\boldsymbol{p}}\boldsymbol{y})_{\boldsymbol{l}} + \nu_{\boldsymbol{p}}(\boldsymbol{\Psi}_{\boldsymbol{p}}\boldsymbol{z})_{\boldsymbol{l}}\}\,, \end{aligned}$$

da nach (1.8) und (2.4)

$$[\boldsymbol{A_p}\,\boldsymbol{\Phi^p}\,\boldsymbol{x}]_{\boldsymbol{l}} = \alpha_{\boldsymbol{l}}^{\boldsymbol{l}+\boldsymbol{p}}\,x_{\boldsymbol{l}+\boldsymbol{p}} \tag{2.7}$$

ist. Ähnliches gilt für die y und z Komponenten, also

$$\begin{Vmatrix} F_x^{\boldsymbol{p}} \\ F_y^{\boldsymbol{p}} \\ F_z^{\boldsymbol{p}} \end{Vmatrix} = -\left\{ \begin{Vmatrix} \lambda_{\boldsymbol{p}}^2 & \lambda_{\boldsymbol{p}}\,\mu_{\boldsymbol{p}} & \lambda_{\boldsymbol{p}}\,\nu_{\boldsymbol{p}} \\ \mu_{\boldsymbol{p}}\,\lambda_{\boldsymbol{p}} & \mu_{\boldsymbol{p}}^2 & \mu_{\boldsymbol{p}}\,\nu_{\boldsymbol{p}} \\ \nu_{\boldsymbol{p}}\,\lambda_{\boldsymbol{p}} & \nu_{\boldsymbol{p}}\,\mu_{\boldsymbol{p}} & \nu_{\boldsymbol{p}}^2 \end{Vmatrix} \times \boldsymbol{\Psi_p} \right\} \begin{Vmatrix} \boldsymbol{x} \\ \boldsymbol{y} \\ \boldsymbol{z} \end{Vmatrix},$$

und weiter

$$\boldsymbol{F^p}(r) = -\{(\boldsymbol{\epsilon_p}\cdot\boldsymbol{\epsilon'_p}) \times \boldsymbol{\Psi_p}(r)\}\,\boldsymbol{X}. \tag{2.8}$$

Ähnlich bekommen wir aus (2.3)

$$\boldsymbol{F^p}(w) = -\{\boldsymbol{I}_3 \times \boldsymbol{\Psi_p}(w) - (\boldsymbol{\epsilon_p}\cdot\boldsymbol{\epsilon'_p}) \times \boldsymbol{\Psi_p}(w)\}\,\boldsymbol{X}, \tag{2.9}$$

und endlich aus (2.1), (2.8) und (2.9)

$$\mathfrak{F}_{\boldsymbol{p}} = -\{(\boldsymbol{I}_3 - \boldsymbol{\epsilon_p}\cdot\boldsymbol{\epsilon'_p}) \times \boldsymbol{\Psi_p}(w) + (\boldsymbol{\epsilon_p}\cdot\boldsymbol{\epsilon'_p}) \times \boldsymbol{\Psi_p}(r)\}\,\boldsymbol{X}. \tag{2.10}$$

Nun lassen sich die Bewegungsgleichungen

$$M_{\boldsymbol{l}}\,\ddot{x}_{\boldsymbol{l}} = \sum_{\vec{p}\in P}{}' \mathfrak{F}_{\boldsymbol{l},x}^{\boldsymbol{l}+\boldsymbol{p}} \tag{2.11}$$

leicht auf die Matrizenform bringen. Der Strich im Symbol $\sum'$ bedeutet, daß die Summation über $\vec{p} = 0$ nicht durchgeführt wird. Es gilt also nach (2.11), (2.10) und (2.5):

$$(\boldsymbol{I}_3 \times \boldsymbol{M})\,\ddot{\boldsymbol{X}} =$$
$$= -\sum_{\vec{p}\in P}{}' \{[(\boldsymbol{I}_3 - \boldsymbol{\epsilon_p}\cdot\boldsymbol{\epsilon'_p}) \times \boldsymbol{A_p}(w) + (\boldsymbol{\epsilon_p}\cdot\boldsymbol{\epsilon'_p}) \times \boldsymbol{A_p}(r)]\cdot[\boldsymbol{I}_3 \times (\boldsymbol{\Phi}^0 - \boldsymbol{\Phi^p})]\}\,\boldsymbol{X}. \tag{2.12}$$

Im Falle eines einkomponentigen Gitters gilt

$$\boldsymbol{A_p} = \alpha(\vec{p})\,\boldsymbol{I}_N, \tag{2.13}$$

wo $\alpha(\vec{p}) = f(|\vec{p}|)$ jetzt eine Konstante ist, nämlich die Hooke'sche Konstante zwischen den Atomen $\boldsymbol{l}$, $\boldsymbol{l}+\boldsymbol{p}$. Dann gestalten sich die Gleichungen (2.12) besonders einfach. Im Falle (2.13) gehen sie in

$$(\boldsymbol{I}_3 \times \boldsymbol{M})\,\ddot{\boldsymbol{X}} =$$
$$= -\sum_{\vec{p}\in P}{}' \{[\alpha(\vec{p}; w)\,(\boldsymbol{I}_3 - \boldsymbol{\epsilon_p}\cdot\boldsymbol{\epsilon'_p}) + \alpha(\vec{p}; r)\,(\boldsymbol{\epsilon_p}\cdot\boldsymbol{\epsilon'_p})] \times [\boldsymbol{\Phi}^0 - \boldsymbol{\Phi^p}]\}\,\boldsymbol{X} \tag{2.14}$$

über, oder mit neuen Bezeichnungen

$$(\boldsymbol{I}_3 \times \boldsymbol{M})\,\ddot{\boldsymbol{X}} = -\Big(\sum_{\vec{p}\in P} \boldsymbol{K_p} \times \boldsymbol{\Phi^p}\Big)\,\boldsymbol{X}, \tag{2.15}$$

wo jetzt auch über $\vec{p} = 0$ summiert wird, und

$$\boldsymbol{K_p} = -\alpha(\vec{p}; w)\,(\boldsymbol{I}_3 - \boldsymbol{\epsilon_p}\cdot\boldsymbol{\epsilon'_p}) - \alpha(\vec{p}; r)\,(\boldsymbol{\epsilon_p}\cdot\boldsymbol{\epsilon'_p}), \quad \text{für } \vec{p} \neq 0; \tag{2.16}$$
$$\boldsymbol{K}_0 = -\sum_{\vec{p}\neq 0}{}' \boldsymbol{K^p}.$$

Im Falle eines idealen Gitters gilt weiterhin

$$\boldsymbol{M} = M\,\boldsymbol{I}_N, \tag{2.17}$$

wo M die Masse des Gitteratoms ist. Durch den Ansatz

$$\boldsymbol{X}(t) = \boldsymbol{X}\,e^{i\omega t}$$

bekommen wir dann für die Eigenfrequenzen und Auslenkungen die folgende Gleichung

$$M\,\omega^2\,\boldsymbol{X} = \Big(\sum_{\vec{p}\in P} \boldsymbol{K_p} \times \boldsymbol{\Phi^p}\Big)\,\boldsymbol{X}, \tag{2.18}$$

oder mit der Bezeichnung

$$\lambda = M\,\omega^2\,, \qquad \boldsymbol{D} = \sum_{\vec{p} \in P} \boldsymbol{K_p} \times \boldsymbol{\Phi^p}\,, \tag{2.19}$$

die Gleichung

$$(\boldsymbol{D} - \lambda\, \boldsymbol{I}_{3N})\, \boldsymbol{X} = 0\,. \tag{2.20}$$

3. Ideale primitive Gitter

Das Gleichungssystem (2.20) wird in üblicher Weise als partielle Differenzengleichung gelöst. Im folgenden werden wir zeigen, wie zur Lösung dieses Systems die allgemeine Theorie der Hypermatrizen vorteilhaft angewendet werden kann. Es handelt sich im wesentlichen um die Berechnung der Eigenwerte und der Eigenvektoren der Matrix $\boldsymbol{D}$. Aus (2.19) und (1.4) folgt

$$\boldsymbol{D} = \sum_{\vec{p} \in P} \boldsymbol{K_p} \times \boldsymbol{\Omega}^p \times \boldsymbol{\Omega}^q \times \boldsymbol{\Omega}^r\,. \tag{3.1}$$

Wie hieraus zu ersehen ist, kann man die Matrix $\boldsymbol{D}$ als eine Hypermatrix dritter Ordnung auffassen, und zwar in dem Sinne, daß sie aus 3×3 untereinander vertauschbaren Blöcken N-ter Ordnung besteht. Zur Berechnung der Eigenwerte solcher Hypermatrizen kann ein Satz von J. Williamson [9] angewendet werden, welchen E. Egerváry [4] auch auf die Berechnung der Eigenvektoren verallgemeinert hat. Nach diesem Satz kann man die Eigenwerte λ der Hypermatrix $\boldsymbol{D}$ folgendermaßen berechnen: Es sollen die Matrizen dritter Ordnung

$$\boldsymbol{\Delta}(k_1, k_2, k_3) = \sum_{\vec{p} \in P} \varkappa_{k_1}^p \varkappa_{k_2}^q \varkappa_{k_3}^r \boldsymbol{K_p}\,; \qquad k_1, k_2, k_3 = 0, 1, 2, \ldots, N_1 - 1 \tag{3.2}$$

definiert werden, wo $\varkappa_{k_i}$ die Eigenwerte der primitiven zyklischen Matrix bezeichnen (1.2). Die gesuchten Eigenwerte $\lambda_j(k_1, k_2, k_3)$, $(j = 1, 2, 3)$, der Hypermatrix $\boldsymbol{D}$ sind die Eigenwerte der Matrizen $\boldsymbol{\Delta}(k_1, k_2, k_3)$, $(k_1, k_2, k_3 = 0, 1, 2, \ldots, N_1 - 1)$. *Auf diese Weise wird die Lösung einer Säkulargleichung $3\,N_1^3$-ten Grades auf die Lösung von N_1^3 Säkulargleichungen dritten Grades zurückgeführt.*

Jedem Eigenwert $\lambda_j(k_1, k_2, k_3)$ entspricht ein Eigenvektor $\boldsymbol{X}(k_1, k_2, k_3; j)$. Diese Eigenvektoren können unter Anwendung des Egerváry'schen Satzes folgendermaßen konstruiert werden. Wir führen für das direkte Produkt zweier Vektoren $\boldsymbol{v}$ und $\boldsymbol{u}$, die Bezeichnung

$$\boldsymbol{v} \times \boldsymbol{u} = \begin{Vmatrix} v_1\,\boldsymbol{u} \\ v_2\,\boldsymbol{u} \\ \vdots \\ v_n\,\boldsymbol{u} \end{Vmatrix} \tag{3.3}$$

ein. Also ist $[\boldsymbol{v} \times \boldsymbol{u}]_{pq} = v_p\, u_q$. Es sollen weiterhin die Eigenvektoren der Matrizen $\boldsymbol{\Delta}(\boldsymbol{k})$ (3.2) durch $\boldsymbol{v}(\boldsymbol{k}; j)$, $(j = 1, 2, 3)$ bezeichnet werden. Dann gilt für die gesuchten Eigenvektoren $\boldsymbol{X}(\boldsymbol{k}; j)$ die folgende Formel

$$\boldsymbol{X}(\boldsymbol{k}; j) = \boldsymbol{v}(k_1, k_2, k_3; j) \times \boldsymbol{u}_{k_1} \times \boldsymbol{u}_{k_2} \times \boldsymbol{u}_{k_3}\,, \tag{3.4}$$

wo $\boldsymbol{u}_{k_i}$ $(k_i = 0, 1, 2, \ldots, N_1 - 1)$ die Eigenvektoren der primitiven zyklischen Matrix bezeichnen (1.3). Daraus folgt für die Komponenten $x_{\boldsymbol{l}}$ des Vektors $\boldsymbol{X}(\boldsymbol{k}; j)$

$$\begin{aligned} x_{\boldsymbol{l}}(\boldsymbol{k}; j) &= v_x(\boldsymbol{k}; j) \cdot e^{i \frac{2\pi}{N_1} (k_1 l + k_2 m + k_3 n)} \\ &= v_x(\boldsymbol{k}; j) \cdot e^{i \frac{2\pi}{N_1} (k_1 \vec{g_1} + k_2 \vec{g_2} + k_3 \vec{g_3})(l \vec{e_1} + m \vec{e_2} + n \vec{e_3})}\,. \end{aligned} \tag{3.5}$$

Die hier eingeführten Vektoren $\vec{g}_1, \vec{g}_2, \vec{g}_3$ sind die Basisvektoren des reziproken Kristallgitters, also $\vec{g}_j \vec{e}_k = \delta_{jk}$. Ähnliche Formeln gelten für die y und z Komponenten der Auslenkung des Gitteratoms $\boldsymbol{l}$.

Diese Ergebnisse stimmen mit den wohlbekannten Resultaten der Gittermechanik idealer Kristallgitter überein.

4. Die Bewegungsgleichungen von Kristallgittern mit null- und mehrdimensionalen Fehlstellen

Damit die Fehlstellen mathematisch gut behandelt werden können, ist es zweckmäßig, spezielle Matrizen einzuführen. Es sollen $\boldsymbol{f}_t$, ($\boldsymbol{f}_t'$), N_1-dimensionale Spalten-(Zeilen-)Einheitsvektoren

$$\boldsymbol{f}_t' = ||\overset{1}{\breve{0}}, \overset{2}{\breve{0}}, \ldots \overset{t}{\breve{1}}, 0 \ldots \overset{N_1}{\breve{0}}|| , \qquad t = 1, 2, \ldots, N_1 \tag{4.1}$$

bezeichnen. Bildet man mit Hilfe dieser Einheitsvektoren die symmetrische Dyade $\boldsymbol{f}_t \cdot \boldsymbol{f}_t'$, so erhält man eine Diagonalmatrix ersten Ranges

$$\boldsymbol{\Lambda}(t) = \boldsymbol{f}_t \cdot \boldsymbol{f}_t' ,$$

worin

$$[\boldsymbol{\Lambda}(t)]_{i,l} = \delta_{il} \cdot \delta_{it} , \qquad i, l, t = 1, 2, \ldots, N_1 \tag{4.2}$$

ist. Weiter definieren wir

$$\boldsymbol{\Gamma}(\boldsymbol{t}) = \boldsymbol{\Lambda}(t) \times \boldsymbol{\Lambda}(u) \times \boldsymbol{\Lambda}(v) ,$$

also

$$[\boldsymbol{\Gamma}(\boldsymbol{t})]_{\boldsymbol{i},\boldsymbol{l}} = \delta_{\boldsymbol{i},\boldsymbol{l}} \cdot \delta_{\boldsymbol{i},\boldsymbol{t}} , \qquad \boldsymbol{t}(t, u, v) \in G , \tag{4.3}$$

wo G das Born-Kármán'sche Grundgebiet des Kristalls ist.

Die Matrix $\boldsymbol{\Gamma}(\boldsymbol{t})$ ist also von der Ordnung $N = N_1^3$ und besitzt nur ein einziges von Null verschiedenes Element, und zwar in der Hauptdiagonale. Mit Hilfe der Matrizen $\boldsymbol{\Gamma}(\boldsymbol{t})$, $\boldsymbol{t} \in G$, kann jede Diagonalmatrix N_1^3-ter Ordnung in der Form $\sum_{\boldsymbol{t} \in G} a_{\boldsymbol{t}} \boldsymbol{\Gamma}(\boldsymbol{t})$ geschrieben werden. *Die Projektoren $\boldsymbol{\Gamma}(\boldsymbol{t})$ ermöglichen es, die einzelnen Gitterpunkte des Grundgebietes G separat zu behandeln.*[2])

Wir werden jetzt einige Definitionen einführen, durch welche die Fehlstellen und die mit ihnen wechselwirkenden Atome einfach erfaßt werden können.

Es sei $S(\vec{a}) = \{\vec{a}_s\}$ die Menge der Gitterpunkte, in denen sich fremde Atome befinden. Es sei weiterhin

$$S(\vec{a} - \vec{p}) = \{\vec{a}_s - \vec{p}\} \qquad \text{für alle} \quad \vec{a}_s \in S \tag{4.4}$$

und

$$\sigma(S, \vec{p}) = S(\vec{a}) \cup S(\vec{a} - \vec{p}) .$$

Der Vektor $\vec{p}$ ist ein beliebiges Element der Menge P, welche in 2. definiert wurde. Bei der Konstruktion der Menge $S(\vec{a} - \vec{p})$ müssen wieder die Born-Kármán'schen Randbedingungen berücksichtigt werden.

Beachten wir jetzt, wie sich die Elemente der Matrix $\boldsymbol{A}_{\boldsymbol{p}}$ (2.13), die ein ideales Gitter charakterisiert, verändern, wenn in dieses ideale Gitter ein fremdes Atom in den Gitterpunkt $\boldsymbol{s}$ substituiert wird. Dieses Atom verändert in der Matrix $\boldsymbol{A}_{\boldsymbol{p}}$ nur die Kopplungsparameter $\alpha_{\boldsymbol{s}}^{\boldsymbol{s}+\boldsymbol{p}}$ und $\alpha_{\boldsymbol{s}-\boldsymbol{p}}^{\boldsymbol{s}}$. Da die Menge der Gitterpunkte, welche mit fremden Atomen besetzt sind, $S(\vec{a})$ ist, verändern sich in der ursprünlichen Matrix der Kopplungsparameter $\boldsymbol{A}_{\boldsymbol{p}}$ des idealen Gitters nur die Elemente

$$\alpha_{\boldsymbol{t}}^{\boldsymbol{t}+\boldsymbol{p}} , \qquad \boldsymbol{t} \in \sigma(S, \vec{p}) . \tag{4.5}$$

[2]) Eine quadratische Matrix $\boldsymbol{A}$ wird Projektor (idempotent) genannt, falls $\boldsymbol{A}^2 = \boldsymbol{A}$ gilt.

Die Matrix $\boldsymbol{A_p}$ (2.4) hat also in diesem Falle eine Form, die sich mittels der Matrizen $\boldsymbol{\Gamma}(\boldsymbol{t})$ leicht angeben läßt:

$$\begin{aligned} \boldsymbol{A_p} &= \sum_{\boldsymbol{t} \in G} \alpha_{\boldsymbol{t}}^{\boldsymbol{t}+\boldsymbol{p}} \boldsymbol{\Gamma}(\boldsymbol{t}) = \sum_{\boldsymbol{t} \in G - \sigma(S,\vec{p})} \alpha(\vec{p}) \boldsymbol{\Gamma}(\boldsymbol{t}) + \sum_{\boldsymbol{t} \in \sigma(S,\vec{p})} \alpha_{\boldsymbol{t}}^{\boldsymbol{t}+\boldsymbol{p}} \boldsymbol{\Gamma}(\boldsymbol{t}) \\ &= \alpha(\vec{p}) \boldsymbol{I}_N + \sum_{\boldsymbol{t} \in \sigma(S,\vec{p})} (\alpha_{\boldsymbol{t}}^{\boldsymbol{t}+\boldsymbol{p}} - \alpha(\vec{p})) \boldsymbol{\Gamma}(\boldsymbol{t}) . \end{aligned} \tag{4.6}$$

Der Ausdruck (4.6) gilt für die Matrizen der Kopplungsparameter der Radialkräfte $\boldsymbol{A_p}(r)$ und auch der Winkelkräfte $\boldsymbol{A_p}(w)$. In ähnlicher Weise kann man zeigen, daß die Matrix $\boldsymbol{M}$ (2.6) die folgende Form annimmt:

$$\boldsymbol{M} = M \boldsymbol{I}_N + \sum_{\boldsymbol{t} \in S} (M_{\boldsymbol{t}} - M) \boldsymbol{\Gamma}(\boldsymbol{t}) . \tag{4.7}$$

Diese Matrizen sind in die Bewegungsgleichungen (2.12) einzusetzen.

Man bekommt so mit den Bezeichnungen

$$\beta_{\boldsymbol{t}}^{\boldsymbol{t}+\boldsymbol{p}} = \alpha_{\boldsymbol{t}}^{\boldsymbol{t}+\boldsymbol{p}} - \alpha(\vec{p}) , \qquad \tau_{\boldsymbol{t}} = M_{\boldsymbol{t}} - M , \tag{4.8}$$

und

$$\boldsymbol{Q} = \frac{1}{M} \boldsymbol{I}_3 \times \sum_{\boldsymbol{t} \in S} \tau_{\boldsymbol{t}} \boldsymbol{\Gamma}(\boldsymbol{t}) , \tag{4.9}$$

$$\boldsymbol{R} = \sum_{\vec{p} \in \Gamma}{}' \sum_{\boldsymbol{t} \in \sigma(S,\vec{p})} [\beta_{\boldsymbol{t}}^{\boldsymbol{t}+\boldsymbol{p}}(w) (\boldsymbol{I}_3 - \boldsymbol{\epsilon_p} \cdot \boldsymbol{\epsilon}_{\boldsymbol{p}}') + \beta_{\boldsymbol{t}}^{\boldsymbol{t}+\boldsymbol{p}}(r) (\boldsymbol{\epsilon_p} \cdot \boldsymbol{\epsilon}_{\boldsymbol{p}}')] \times \boldsymbol{\Gamma}(\boldsymbol{t}) (\boldsymbol{\Phi}^0 - \boldsymbol{\Phi}^{\boldsymbol{p}}) , \tag{4.10}$$

die Bewegungsgleichungen in der folgenden Form

$$M (\boldsymbol{I}_{3N} + \boldsymbol{Q}) \ddot{\boldsymbol{X}} = - (\boldsymbol{D} + \boldsymbol{R}) \boldsymbol{X} . \tag{4.11}$$

Behandeln wir noch den Fall, daß in einem idealen Gitter alle fremden Atome von gleicher Art sind und w Geraden in der Richtung des Basisvektors $\vec{e}_3$ ausfüllen. Es wird im weiteren vorteilhaft sein, die Menge der Punkte $\{a^{(j)}, b^{(j)}, 0\}$, $j = 1, 2, \ldots, w$, als A zu bezeichnen. Weiterhin soll bedeuten:

$$\varrho_1(A) = \{a^{(j)} \vec{e}_1 + b^{(j)} \vec{e}_2 + n_3 \vec{e}_3\} ; \quad j = 1, 2, \ldots, w , \quad n_3 = 0, \pm 1, \pm 2, \ldots . \tag{4.12}$$

In unserem Falle gilt also

$$\left. \begin{aligned} S(\vec{a}) &= \varrho_1(A) , \qquad S(\vec{a} - \vec{p}) = \varrho_1(B) , \\ B &= \{a^{(j)} - p, b^{(j)} - q, 0\} , \qquad j = 1, 2, \ldots, w , \\ \sigma(S,\vec{p}) &= \varrho_1 (A \cup B) . \end{aligned} \right\} \tag{4.13}$$

Teilen wir nun die Menge $\sigma(S,\vec{p})$ in zwei disjunkte Teilmengen auf:

$$\sigma(S,\vec{p}) = \sigma_{\mathrm{I}}(S,\vec{p}) \cup \sigma_{\mathrm{II}}(S,\vec{p}) , \tag{4.14}$$

wobei

$$\left. \begin{aligned} \sigma_{\mathrm{I}}(S,\vec{p}) &= S(\vec{a}) \cap S(\vec{a} - \vec{p}) = \varrho_1(A \cap B) , \\ \sigma_{\mathrm{II}}(S,\vec{p}) &= \sigma(S,\vec{p}) - \sigma_{\mathrm{I}}(S,\vec{p}) = \varrho_1(A \cup B - A \cap B) . \end{aligned} \right\} \tag{4.15}$$

Aus dieser Definition der Mengen $\sigma_{\mathrm{I}}(S,\vec{p})$ und $\sigma_{\mathrm{II}}(S,\vec{p})$ ist klar, daß $\alpha_{\boldsymbol{t}}^{\boldsymbol{t}+\boldsymbol{p}}$ für $\boldsymbol{t} \in \sigma_{\mathrm{I}}(S,\vec{p})$ ein Kopplungsparameter zwischen zwei fremden Atomen und für $\boldsymbol{t} \in \sigma_{\mathrm{II}}(S,\vec{p})$ ein Kopplungsparameter zwischen einem fremden Atom und einem Atom des idealen Kristallgitters ist. Falls die Atome der Fehlstellen von gleicher Art sind gilt daher

$$\alpha_{\boldsymbol{t}}^{\boldsymbol{t}+\boldsymbol{p}} = \alpha_{\mathrm{I}}(\vec{p}) \quad \text{für} \quad \boldsymbol{t} \in \sigma_{\mathrm{I}}(S,\vec{p}) , \qquad \alpha_{\boldsymbol{t}}^{\boldsymbol{t}+\boldsymbol{p}} = \alpha_{\mathrm{II}}(\vec{p}) \quad \text{für} \quad \boldsymbol{t} \in \sigma_{\mathrm{II}}(S,\vec{p}) . \tag{4.16}$$

Ist also (4.13) erfüllt und sind alle fremden Atome von gleicher Art, so kann man die Bewegungsgleichungen (4.11) auf folgende Weise schreiben (einfachheitshalber beschränken wir uns auf den Fall der Radialkräfte):

$$\left\{\left[M\,\boldsymbol{I}_{3\,N_1^2} + \tau\,\boldsymbol{I}_3 \times \sum_{(t,u)\in A} \boldsymbol{\Lambda}(t) \times \boldsymbol{\Lambda}(u)\right] \times \boldsymbol{\Omega}^0\right\} \ddot{\boldsymbol{X}} =$$

$$= -\left\{\sum_{\vec{p}\in P} \boldsymbol{K}_{\boldsymbol{p}} \times \boldsymbol{\Omega}^p \times \boldsymbol{\Omega}^q \times \boldsymbol{\Omega}^r + \right.$$

$$+ \sum_{\vec{p}\in P}{}' (\boldsymbol{\epsilon}_{\boldsymbol{p}} \cdot \boldsymbol{\epsilon}'_{\boldsymbol{p}}) \times \left[\beta_{\mathrm{I}}(\vec{p}) \sum_{(t,u)\in A\cap B)} (\boldsymbol{\Lambda}(t) \times \boldsymbol{\Lambda}(u) \times \boldsymbol{\Omega}^0 - \boldsymbol{\Lambda}(t)\boldsymbol{\Omega}^p \times \boldsymbol{\Lambda}(u)\boldsymbol{\Omega}^q \times \boldsymbol{\Omega}^r) + \right.$$

$$\left.\left. + \beta_{\mathrm{II}}(\vec{p}) \sum_{(t,u)\in A\cup B - A\cap B} (\boldsymbol{\Lambda}(t) \times \boldsymbol{\Lambda}(u) \times \boldsymbol{\Omega}^0 - \boldsymbol{\Lambda}(t)\,\boldsymbol{\Omega}^r \times \boldsymbol{\Lambda}(u)\boldsymbol{\Omega}^q \times \boldsymbol{\Omega}^r)\right]\right\} \boldsymbol{X}\,. \quad (4.17)$$

Die Matrix unseres linearen Differentialgleichungssystems (4.17) ist in diesem Falle eine Hypermatrix $3\,N_1^2$-ter Ordnung, deren Blöcke die Potenzen der primitiven zyklischen Matrix $\boldsymbol{\Omega}$ sind. Die zugehörige Determinante $3\,N_1^3$-ter Ordnung für die Eigenfrequenzquadrate ω^2 kann also wieder, ähnlich wie in Abschnitt 3 mittels des Williamson'schen Satzes, auf die Lösung von N_1 Säkulargleichungen $3\,N_1^2$-ter Ordnung zurückgeführt werden. Die zu diesen N_1 Säkulargleichungen gehörenden Matrizen $3\,N_1^2$-ter Ordnung bekommen wir aus der Matrix des Systems (4.17), wenn wir in ihr die Matrizen $\boldsymbol{\Omega}^r$ durch ihre Eigenwerte

$$\varkappa_{k_j} = e^{i\frac{2\pi}{N_1}k_j r}, \qquad k_j = 0, 1, 2, \ldots, N_1 - 1$$

ersetzen.

Die Gleichung für die Eigenschwingungen eines dreidimensionalen Gitters mit linearen Fehlstellen aus Atomen gleicher Art kann man also auf Gleichungen für die Frequenzen N_1 „zweidimensionaler Gitter mit nulldimensionalen Fehlstellen" zurückführen. Ähnlich kann man den Fall der zweidimensionalen Fehlstellen im dreidimensionalen Gitter auf den Fall N_1^2 „linearer Ketten" mit nulldimensionalen Fehlstellen reduzieren.

5. Die Aufstellung einer Gleichung für die Eigenfrequenzen nichtidealer Kristallgitter

Aus den Bewegungsgleichungen (4.11) bekommen wir ein System von homogenen algebraischen Gleichungen

$$[\boldsymbol{D} - \lambda\,\boldsymbol{I}_{3N} + \boldsymbol{R} - \lambda\,\boldsymbol{Q}]\,\boldsymbol{X} = 0\,, \qquad \lambda = M\,\omega^2\,. \tag{5.1}$$

Es soll vorausgesetzt werden, daß die gesuchten λ keinem Eigenwert der Matrix $\boldsymbol{D}$ gleich sind. Dann kann man das Gleichungssystem (5.1) folgendermaßen schreiben [10]

$$[\boldsymbol{D} - \lambda\,\boldsymbol{I}_{3N}]\,[\boldsymbol{I}_{3N} + (\boldsymbol{D} - \lambda\,\boldsymbol{I}_{3N})^{-1}\,(\boldsymbol{R} - \lambda\,\boldsymbol{Q})]\,\boldsymbol{X} = 0\,. \tag{5.2}$$

Damit ist die charakteristische Gleichung des Systems (5.1) auf die Gleichung

$$\det \boldsymbol{W} = 0 \tag{5.3}$$

zurückgeführt, wo

$$\boldsymbol{W} = \boldsymbol{I}_{3N} + (\boldsymbol{D} - \lambda\,\boldsymbol{I}_{3N})^{-1}\,(\boldsymbol{R} - \lambda\,\boldsymbol{Q}) \tag{5.4}$$

ist.

Da die Matrizen $\boldsymbol{R}$ und $\boldsymbol{Q}$ im Falle der nulldimensionalen Fehlstellen nur wenige von Null verschiedene Elemente haben (ungefähr dreimal so viele, wie die Anzahl der Atome in der Fehlstelle), kann die Determinante $|\boldsymbol{W}|$ von $3\,N_1^3$-ter Ordnung auf eine Determinante von *wesentlich niedrigerer* Ordnung zurückgeführt werden.

Um diese Determinante zu berechnen, braucht man nur wenige Elemente der Umkehrmatrix $(\boldsymbol{D}-\lambda\,\boldsymbol{I}_{3N})^{-1}$.

Die Matrix $\boldsymbol{D}-\lambda\,\boldsymbol{I}_{3N}$ ist eine Hypermatrix dritter Ordnung, deren Blöcke vertauschbare Matrizen N-ter Ordnung sind. Diese Tatsache ermöglicht die Zerlegung dieser Matrix in das Produkt von drei Matrizen, welche dann leicht zu invertieren sind.

Bezeichnen wir die Blöcke N-ter Ordnung der Matrix $\boldsymbol{D}-\lambda\,\boldsymbol{I}_{3N}$ durch $\boldsymbol{L}_{st}$

$$\boldsymbol{D}-\lambda\,\boldsymbol{I}_{3N}=\|\boldsymbol{L}_{st}\|\,,\qquad s,t=1,2,3\,,$$

wo nach (3.1)

$$\boldsymbol{L}_{st}=\sum K_{\boldsymbol{p}}^{st}\,\boldsymbol{\Phi}^{\boldsymbol{p}}-\lambda\,\delta_{st}\,\boldsymbol{I}_N\,. \tag{5.5}$$

Nach dem in 3. erwähnten Satz von E. Egerváry [4] können wir jetzt die Matrizen $\boldsymbol{L}_{st}$ mit Hilfe der Eigenwerte (1.2) und Eigenvektoren (1.3) der primitiven zyklischen Matrix $\boldsymbol{\Omega}$ in folgender Weise zerlegen:

$$\boldsymbol{L}_{st}=\boldsymbol{U}\times\boldsymbol{U}\times\boldsymbol{U}\cdot\Big\langle\sum_{\vec{p}\in P}K_{\boldsymbol{p}}^{st}\,\varkappa_{k_1}^{p}\,\varkappa_{k_2}^{q}\,\varkappa_{k_3}^{r}-\lambda\,\delta_{st}\Big\rangle\cdot\boldsymbol{U}^{+}\times\boldsymbol{U}^{+}\times\boldsymbol{U}^{+}\,.$$

Hier wurde mit

$$\Big\langle\sum_{\vec{p}\in P}K_{\boldsymbol{p}}^{st}\,\varkappa_{k_1}^{p}\,\varkappa_{k_2}^{q}\,\varkappa_{k_3}^{r}-\lambda\,\delta_{st}\Big\rangle$$

eine Diagonalmatrix N-ter Ordnung bezeichnet, deren Elemente durch das Indextripel (k_1, k_2, k_3) bezeichnet werden. $\boldsymbol{U}^{+}$ ist die transponiert konjugierte Matrix von $\boldsymbol{U}$. Aus der Formel (3.2) folgt weiter

$$\boldsymbol{L}_{st}=\boldsymbol{U}\times\boldsymbol{U}\times\boldsymbol{U}\,\langle\Delta_{st}(k_1,k_2,k_3)-\lambda\,\delta_{st}\rangle\,\boldsymbol{U}^{+}\times\boldsymbol{U}^{+}\times\boldsymbol{U}^{+}\,. \tag{5.6}$$

Die Matrix $\boldsymbol{D}-\lambda\,\boldsymbol{I}_{3N}$ hat also in dieser Zerlegung die folgende Struktur:

$$\boldsymbol{D}-\lambda\,\boldsymbol{I}_{3N}=\left\|\begin{array}{c|c|c}\boldsymbol{U}\times\boldsymbol{U}\times\boldsymbol{U}&0&0\\\hline 0&\boldsymbol{U}\times\boldsymbol{U}\times\boldsymbol{U}&0\\\hline 0&0&\boldsymbol{U}\times\boldsymbol{U}\times\boldsymbol{U}\end{array}\right\|\left\|\begin{array}{c|c|c}\langle\Delta_{11}(\boldsymbol{k})-\lambda\rangle&\langle\Delta_{12}(\boldsymbol{k})\rangle&\langle\Delta_{13}(\boldsymbol{k})\rangle\\\hline\langle\Delta_{21}(\boldsymbol{k})\rangle&\langle\Delta_{22}(\boldsymbol{k})-\lambda\rangle&\langle\Delta_{23}(\boldsymbol{k})\rangle\\\hline\langle\Delta_{31}(\boldsymbol{k})\rangle&\langle\Delta_{32}(\boldsymbol{k})\rangle&\langle\Delta_{33}(\boldsymbol{k})-\lambda\rangle\end{array}\right\|$$

$$\left\|\begin{array}{c|c|c}\overbrace{\boldsymbol{U}^{+}\times\boldsymbol{U}^{+}\times\boldsymbol{U}^{+}}^{N}&0&0\\\hline 0&\boldsymbol{U}^{+}\times\boldsymbol{U}^{+}\times\boldsymbol{U}^{+}&0\\\hline 0&0&\boldsymbol{U}^{+}\times\boldsymbol{U}^{+}\times\boldsymbol{U}^{+}\end{array}\right\|\begin{array}{l}\}\,N\\ \\ \\ \end{array} \tag{5.7}$$

Es ist leichter, anstatt der Matrix $\boldsymbol{D}-\lambda \boldsymbol{I}_{3N}$ eine andere Matrix $\boldsymbol{P}\cdot(\boldsymbol{D}-\lambda \boldsymbol{I}_{3N})\cdot\boldsymbol{P}^{-1}$ zu invertieren, wo $\boldsymbol{P}$ eine Permutationsmatrix bedeutet, die zur Umordnung der Indizes s und $\boldsymbol{l}$ dient. Die Permutationsmatrix $\boldsymbol{P}$ führen wir folgendermaßen ein [4]: Es sei $\boldsymbol{A}$ eine beliebige quadratische Matrix m, n-ter Ordnung, welche aus m^2 Matrizen n-ter Ordnung zusammengestellt ist:

$$\boldsymbol{A} = \|\boldsymbol{A}_{jk}\| = \|a_{jp;\,kq}\|\,; \qquad j, k = 1, 2, \ldots, m\,, \qquad p, q = 1, 2, \ldots, n\,.$$

Definieren wir

$$\boldsymbol{e}_i = \begin{Vmatrix} 0 \\ 0 \\ \vdots \\ 1 \\ 0 \\ \vdots \\ 0 \end{Vmatrix} \begin{matrix} (1 \\ (2 \\ \\ (i \\ \\ \\ (m \end{matrix}\,, \qquad \boldsymbol{f}_l = \begin{Vmatrix} 0 \\ \vdots \\ 1 \\ 0 \\ \vdots \\ 0 \end{Vmatrix} \begin{matrix} (1 \\ \\ (l \\ \\ \\ (n \end{matrix}\,, \tag{5.8}$$

so ist die Permutationsmatrix

$$\boldsymbol{P} = \|\boldsymbol{P}_{li}\| = \|\boldsymbol{e}_i\cdot\boldsymbol{f}_l'\| = \begin{Vmatrix} \boldsymbol{e}_1\cdot\boldsymbol{f}_1' & \boldsymbol{e}_2\cdot\boldsymbol{f}_1' & \ldots & \boldsymbol{e}_m\cdot\boldsymbol{f}_1' \\ \boldsymbol{e}_1\cdot\boldsymbol{f}_2' & \boldsymbol{e}_2\cdot\boldsymbol{f}_2' & \ldots & \boldsymbol{e}_m\cdot\boldsymbol{f}_2' \\ \cdot & \cdot & \cdots & \cdot \\ \boldsymbol{e}_1\cdot\boldsymbol{f}_n' & \boldsymbol{e}_2\cdot\boldsymbol{f}_n' & \ldots & \boldsymbol{e}_m\cdot\boldsymbol{f}_n' \end{Vmatrix}\,. \tag{5.9}$$

Man sieht leicht ein, daß

$$\boldsymbol{P}^{-1} = \boldsymbol{P}'$$

und daß man die oben erwähnte Ähnlichkeitstransformation auf folgende Weise schreiben kann

$$\boldsymbol{P}\cdot\|a_{jp;\,kq}\|\cdot\boldsymbol{P}' = \|a_{pj;\,qk}\|\,. \tag{5.10}$$

Es wird dabei immer die lexikographische Anordnung der Indexpaare eingehalten. Dies bedeutet, daß die mit der Permutationsmatrix $\boldsymbol{P}$ durchgeführte Ähnlichkeitstransformation, die aus m^2 Blöcken n-ter Ordnung bestehende Hypermatrix in eine aus n^2 Blöcken m-ter Ordnung bestehende Hypermatrix überführt. Im speziellen Fall eines direkten Produkts gilt

$$\boldsymbol{P}\cdot(\boldsymbol{A}\times\boldsymbol{B})\cdot\boldsymbol{P}' = \boldsymbol{B}\times\boldsymbol{A}\,. \tag{5.11}$$

Wir werden jetzt diese Ähnlichkeitstransformation auf die Matrix $\boldsymbol{D}-\lambda\,\boldsymbol{I}_{3N}$ (5.7) anwenden

$$\boldsymbol{P}(\boldsymbol{D}-\lambda \boldsymbol{I}_{3N})\boldsymbol{P}^{-1} = \boldsymbol{U}\times\boldsymbol{U}\times\boldsymbol{U}\times\boldsymbol{I}_3\cdot$$

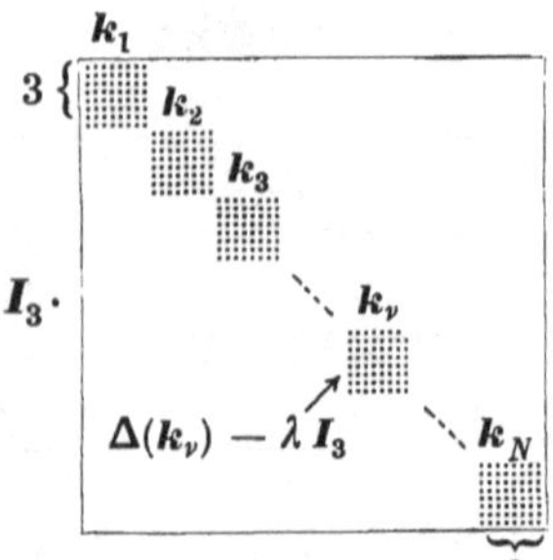

$$\cdot\,\boldsymbol{U}^{+}\times\boldsymbol{U}^{+}\times\boldsymbol{U}^{+}\times\boldsymbol{I}_3\,. \tag{5.12}$$

Diese Matrix können wir unmittelbar invertieren

$$\begin{aligned}&\boldsymbol{P}\cdot(\boldsymbol{D}-\lambda\,\boldsymbol{I}_{3N})^{-1}\cdot\boldsymbol{P}^{-1} = \\ &\quad = \boldsymbol{U}\times\boldsymbol{U}\times\boldsymbol{U}\times\boldsymbol{I}_3\cdot\langle\!\langle(\Delta(\boldsymbol{k}_\nu)-\lambda\,\boldsymbol{I}_3)^{-1}\rangle\!\rangle\cdot\boldsymbol{U}^{+}\times\boldsymbol{U}^{+}\times\boldsymbol{U}^{+}\times\boldsymbol{I}_3\,.\end{aligned} \tag{5.13}$$

Die Umkehrmatrizen dritter Ordnung

$$(\mathbf{\Delta}(\boldsymbol{k}_\nu) - \lambda\, \boldsymbol{I}_3)^{-1} = \left\| T_{st}\left(\frac{2\pi}{N_1}\boldsymbol{k}_\nu; \lambda\right)\right\|; \qquad \nu = 1, 2, \ldots, N, \quad s, t = 1, 2, 3 \quad (5.14)$$

finden wir leicht, ohne die zugehörige charakteristische Gleichung dritter Ordnung lösen zu müssen, mittels der algebraischen Komplemente der Matrizen $\mathbf{\Delta}(\boldsymbol{k}_\nu) - \lambda\, \boldsymbol{I}_3$. Wenn man die in 1. erwähnten Formeln über direkte Produkte anwendet, bekommt man aus (5.10), (5.13), (1.3) und (5.14) für die Elemente der Umkehrmatrix (5.13)

$$[\boldsymbol{P}\cdot(\boldsymbol{D} - \lambda\, \boldsymbol{I}_{3N})^{-1}\cdot \boldsymbol{P}^{-1}]_{\boldsymbol{l}s;\boldsymbol{u}t} = [(\boldsymbol{D} - \lambda\, \boldsymbol{I}_{3N})^{-1}]_{s\boldsymbol{l};t\boldsymbol{u}}$$

$$= \frac{1}{N}\sum_{\boldsymbol{k}_\nu} e^{i\frac{2\pi}{N_1}\boldsymbol{k}_\nu(\boldsymbol{l}-\boldsymbol{u})}\cdot T_{st}\left(\frac{2\pi}{N_1}\boldsymbol{k}_\nu; \lambda\right). \quad (5.15)$$

Wie allgemein üblich gehen wir auf der rechten Seite dieser Gleichung durch die Substitution $\frac{2\pi}{N_1}\boldsymbol{k} = \boldsymbol{v}$ zu einem Integral über

$$[(\boldsymbol{D} - \lambda\, \boldsymbol{I}_{3N})^{-1}]_{s\boldsymbol{l};t\boldsymbol{u}} = \frac{1}{(2\pi)^3}\int_0^{2\pi}\int_0^{2\pi}\int_0^{2\pi} e^{i(\boldsymbol{l}-\boldsymbol{u})\boldsymbol{v}}\cdot T_{st}(\boldsymbol{v};\lambda)\, dv_1\, dv_2\, dv_3. \quad (5.16)$$

Zur Berechnung der Frequenzen des gestörten Gitters ist dieser Ausdruck in die Matrix $\boldsymbol{W}$ (5.4) einzusetzen.

6. Ein Beispiel: Das kubische raumzentrierte Gitter

In diesem Abschnitt werden wir die in den vorhergehenden Abschnitten dargelegte Theorie am Beispiel des einfachen raumzentrierten kubischen Gitters illustrieren. Wir beschränken uns nur auf die Radialkräfte. Als Basisvektoren wählen wir die drei Vektoren

$$\vec{e}_1 = \frac{a}{2}(-1, 1, 1), \qquad \vec{e}_2 = \frac{a}{2}(1, -1, 1), \qquad \vec{e}_3 = \frac{a}{2}(1, 1, -1),$$

wo a die Kantenlänge des Elementarkubus ist.

In diesem Falle gibt es acht nächste Nachbarn und sechs übernächste Nachbarn, so daß die Menge P fünfzehn Elemente enthält. Die Indextripel $\boldsymbol{p}$, die Vektoren $\vec{\varepsilon}_{\boldsymbol{p}}$ und die Kopplungsparameter $\alpha(\vec{p})$ sind in der Tabelle 1 zusammengestellt.

Für $\boldsymbol{K}_0$ gilt nach (2.16)

$$\boldsymbol{K}_0 = 2\left(\frac{4}{3}\alpha + \beta\right)\boldsymbol{I}_3.$$

Die Elemente der Matrix $\mathbf{\Delta}(\boldsymbol{k})$ (3.2) sind in diesem Falle

$$\left.\begin{aligned} \Delta_{ss} &= -\frac{2}{3}\alpha\,[\cos(\varphi_1+\varphi_2+\varphi_3) + \cos\varphi_1 + \cos\varphi_2 + \cos\varphi_3] \\ &\quad - 2\beta\cos(\varphi_r+\varphi_t) + \frac{8}{3}\alpha + 2\beta, \\ \Delta_{st} &= -\frac{2}{3}\alpha\,[\cos(\varphi_1+\varphi_2+\varphi_3) + \cos\varphi_r - \cos\varphi_s - \cos\varphi_t]; \\ r &\neq s \neq t, \qquad r, s, t = 1, 2, 3, \qquad \varphi_r = \frac{2\pi}{N_1}k_r. \end{aligned}\right\} \quad (6.1)$$

Tabelle 1

p Gitterpunkts-koordinaten in $(\vec{e}_1\,\vec{e}_2\,\vec{e}_3)$	$\vec{\varepsilon}_p$ $(\lambda_p, \mu_p, \nu_p)$	$\epsilon_p \cdot \epsilon_p'$	Kopplungs-parameter $\alpha(\vec{p})$
$\pm\,(1, 1, 1)$	$\pm\,\frac{1}{\sqrt{3}}(1, 1, 1)$	$\frac{1}{3}\begin{Vmatrix} 1 & 1 & 1 \\ 1 & 1 & 1 \\ 1 & 1 & 1 \end{Vmatrix}$	α
$\pm\,(0, 1, 0)$	$\pm\,\frac{1}{\sqrt{3}}(1, -1, 1)$	$\frac{1}{3}\begin{Vmatrix} 1 & -1 & 1 \\ -1 & 1 & -1 \\ 1 & -1 & 1 \end{Vmatrix}$	α
$\pm\,(0, 0, 1)$	$\pm\,\frac{1}{\sqrt{3}}(1, 1, -1)$	$\frac{1}{3}\begin{Vmatrix} 1 & 1 & -1 \\ 1 & 1 & -1 \\ -1 & -1 & 1 \end{Vmatrix}$	α
$\pm\,(1, 0, 0)$	$\pm\,\frac{1}{\sqrt{3}}(-1, 1, 1)$	$\frac{1}{3}\begin{Vmatrix} 1 & -1 & -1 \\ -1 & 1 & 1 \\ -1 & 1 & 1 \end{Vmatrix}$	α
$\pm\,(0, 1, 1)$	$\pm\,(1, 0, 0)$	$\begin{Vmatrix} 1 & 0 & 0 \\ 0 & 0 & 0 \\ 0 & 0 & 0 \end{Vmatrix}$	β
$\pm\,(1, 0, 1)$	$\pm\,(0, 1, 0)$	$\begin{Vmatrix} 0 & 0 & 0 \\ 0 & 1 & 0 \\ 0 & 0 & 0 \end{Vmatrix}$	β
$\pm\,(1, 1, 0)$	$\pm\,(0, 0, 1)$	$\begin{Vmatrix} 0 & 0 & 0 \\ 0 & 0 & 0 \\ 0 & 0 & 1 \end{Vmatrix}$	β

Die Elemente der Umkehrmatrix (5.14) sind mittels der algebraischen Komplemente leicht zu finden

$$T_{st}\left(\frac{2\pi}{N_1}\boldsymbol{k};\lambda\right) = \frac{3}{8\alpha}\,\frac{(\boldsymbol{\Delta}(\boldsymbol{k}) - \lambda\,\boldsymbol{I}_3)^{(st)}}{|\boldsymbol{\Delta}(\boldsymbol{k}) - \lambda\,\boldsymbol{I}_3|}\,. \tag{6.2}$$

Nach einfachen algebraischen Umformungen bekommt man

$$\left.\begin{aligned} (\boldsymbol{\Delta}(\boldsymbol{k}) - \lambda\,\boldsymbol{I}_3)^{(ss)} &= (\zeta - C_1 C_2 C_3 + \gamma S_r^2)(\zeta - C_1 C_2 C_3 + \gamma S_t^2) - C_s^2 S_r^2 S_t^2\,, \\ (\boldsymbol{\Delta}(\boldsymbol{k}) - \lambda\,\boldsymbol{I}_3)^{(st)} &= S_s S_t\,[C_s C_t - C_r(\zeta + \gamma S_r^2)]\,, \\ r \neq s \neq t\,, &\qquad r, s, t = 1, 2, 3\,, \end{aligned}\right\} \tag{6.3}$$

$$\begin{aligned} |\boldsymbol{\Delta}(\boldsymbol{k}) - \lambda\,\boldsymbol{I}_3| = {} & (\zeta + \gamma)^3 - (\zeta + \gamma)\,(1 + \zeta\gamma + \gamma^2)\,G_1 + (2\zeta + \zeta\gamma^2 + \gamma^3)\,G_2 \\ & + \gamma\,(3 - \gamma^2)\,G_3 + \gamma\,G_1\,(G_1 - G_2) \\ & + \sqrt{G_3}\,\{2 - 3\,(\zeta + \gamma)^2 + (2\gamma^2 + 2\zeta\gamma - 1)\,G_1 - \gamma^2 G_2\}\,. \end{aligned} \tag{6.4}$$

In diesen Formeln bedeutet

$$\zeta = 1 - \frac{3\lambda}{8\alpha}, \quad \gamma = \frac{3\beta}{2\alpha}, \quad C_r = \cos\frac{\varphi_s + \varphi_t}{2}, \quad S_r = \sin\frac{\varphi_s + \varphi_t}{2}, \tag{6.5}$$

und die G_i sind die elementaren symmetrischen Funktionen von C_k^2, und zwar

$$G_1 = C_1^2 + C_2^2 + C_3^2, \quad G_2 = C_1^2 C_2^2 + C_1^2 C_3^2 + C_2^2 C_3^2, \quad G_3 = C_1^2 C_2^2 C_3^2.$$

Mittels der Elemente der reziproken Matrix $\boldsymbol{T}\left(\frac{2\pi}{N_1}\boldsymbol{k};\lambda\right)$ bekommt man die Elemente der gesuchten Kehrmatrix $(\boldsymbol{D} - \lambda\,\boldsymbol{I}_{3N})^{-1}$ laut Formel (5.16)

$$[(\boldsymbol{D} - \lambda\,\boldsymbol{I}_{3N})^{-1}]_{s\,\boldsymbol{l},\,t\,0} = \frac{1}{(2\pi)_3}\int_0^{2\pi}\int_0^{2\pi}\int_0^{2\pi} e^{i(l_1\varphi_1 + l_2\varphi_2 + l_3\varphi_3)}\,T_{st}(\varphi_1, \varphi_2, \varphi_3;\lambda)\,d\varphi_1\,d\varphi_2\,d\varphi_3, \tag{6.6}$$

wo $\varphi_j \in (0, 2\pi)$ jetzt kontinuierliche Veränderliche sind.

Literatur

[1] G. Leibfried, Handbuch der Physik, Bd. 7, Teil 1, Springer-Verlag, Berlin 1955 (S. 104).
[2] D. E. Rutherford, Proc. Royal Soc. Edinburgh **62**, 229 (1947); **63**, 232 (1952).
[3] T. A. Hoffmann und A. Kónya, Acta Phys. Hung. **1**, 5 (1951).
T. A. Hoffmann, Acta Phys. Hung. **1**, 175 (1951); **2**, 97 (1952); **2**, 107 (1952).
[4] E. Egerváry, Acta Sci. Math. (Szeged) **15**, 211 (1954).
[5] F. R. Gantmacher, Matrizenrechnung, Dt. Verlag d. Wiss., Berlin 1959.
[6] C. C. MacDuffee, The Theory of Matrices, Springer-Verlag, Berlin 1933.
[7] H. L. Hamburger und M. E. Grimshaw, Linear Transformations in n-dimensional Vector-space, Cambridge 1956.
[8] J. de Launay, Solid State Physics, Vol. 2, Academic Press Inc., New York 1956 (S. 219).
[9] J. Williamson, Bull. Amer. Math. Soc. **37**, 585 (1931).
[10] E. W. Montroll und R. B. Potts, Phys. Rev. **102**, 72 (1956).

(Received October 9, 1961)

Institut für theoretische Physik, Naturwissenschaftliche Fakultät, Brno, ČSSR

Eine kombinatorische Methode zur Berechnung der Frequenzmomente von Legierungen

Von

O. LITZMAN und F. KLVAŇA

Die Bewegungsgleichungen des Kristallgitters einer isotopischen Legierung können in einer übersichtlichen Matrizenform dargestellt werden [1]. Diese Matrizenformulierung ermöglicht es, die Berechnung der Frequenzmomente in ein geometrisch-kombinatorisches Problem zu überführen. Bei der Beschränkung auf Radialkräfte gewinnt dieses Problem eine besonders anschauliche geometrische Form.

The equations of motion for the crystal lattice of an isotopic alloy may be formulated in a simple matrix form [1]. This matrix form renders possible to transform the computation of the moments of frequency-spectrum into a geometric-combinatorical problem. For radial forces only, the geometric formulation of this problem is particularly instructive.

1. Einleitung

In einer vorangegangenen Arbeit wurden die Bewegungsgleichung für allgemeine dreidimensionale Kristallgitter in einer übersichtlichen Matrizenform dargestellt und für den Fall idealer Gitter und von Gittern mit Fehlstellen näher diskutiert [1][1]). In dieser Arbeit werden Legierungen behandelt.

Mit dem Gitterfrequenzspektrum von Legierungen haben sich in den letzten Jahren mehrere Autoren befaßt. A. N. MEN und A. N. ORLOV [2] haben dieses Problem mittels einer Störungsmethode behandelt. P. DEAN und J. L. MARTIN [3] ist es gelungen, einen neuen analytischen Satz über das Eigenwertspektrum spezieller Hypermatrizen zu formulieren und auf Grund dieses Satzes ein vorteilhaftes numerisches Verfahren zur Berechnung des Frequenzspektrums für elektronische Rechenmaschinen zu programmieren. Die Untersuchungen dieser Autoren beschränken sich jedoch nur auf den physikalisch stark vereinfachten Fall, daß die Schwingungen in der x-Richtung von den Schwingungen in der y- und z-Richtung unabhängig sind. Diese Voraussetzung vereinfacht die mathematische Lösung unserer Aufgabe beträchtlich und wird deswegen oft benutzt, obwohl sie physikalisch wenig realistisch ist. Abgesehen von dieser Einschränkung ist auch nach der Meinung der Autoren [3] diese Methode leider nur für ein- und zweidimensionale Gitter von praktischem Nutzen.

Auch im Falle eines *idealen* dreidimensionalen Gitters ist die Berechnung des Frequenzspektrums eine schwierige Aufgabe, die eigentlich nur auf numerischem Wege lösbar ist. Bei den Legierungen wird selbstverständlich das Problem noch schwieriger. Deswegen gehen manche Autoren so vor, daß sie nicht direkt das Frequenzspektrum, sondern zunächst nur die Momente des Frequenzspektrums berechnen. Mittels dieser Momente wird dann das Frequenzspektrum oder der Schwingungsanteil der thermodynamischen Funktionen des Kristalls approximiert.

Von C. DOMB, A. A. MARADUDIN, E. W. MONTROLL und G. H. WEISS wurde die Aufgabe der Berechnung der Frequenzmomente einer linearen Kette auf eine kombinatorische Aufgabe zurückgeführt [4]. Wir werden in dieser Arbeit zeigen, daß die Matrizenschreibweise der Bewegungsgleichungen (vergleiche [1]) es ermöglicht,

[1]) Die Hinweise auf diese Arbeit werden im weiteren mit I bezeichnet. Die Bezeichnungen in der vorliegenden Arbeit sind die gleichen wie in [1].

die Berechnung der Frequenzmomente auch im Falle der allgemeinen primitiven dreidimensionalen Kristallgitter in eine geometrisch-kombinatorische Aufgabe zu überführen.

Wir beschränken uns auf den Fall der isotopischen substitionellen Legierungen; man setzt also voraus, daß die Atome in der Legierung zwar verschieden, die Kopplungsparameter in der Legierung jedoch dieselben wie in einem idealen Gitter sind. Im Falle einer nichtisotopischen Legierung kann man ähnlich vorgehen, die kombinatorische Aufgabe wird dann jedoch beträchtlich komplizierter.

Für eine isotopische Legierung haben die Bewegungsgleichungen laut (I, 2.15) und (I. 2.16) (vergleiche Fußnote [1]) die Form

$$(\boldsymbol{I}_3 \times \boldsymbol{M})\, \ddot{\boldsymbol{X}} = -\left[\sum_{\vec{p} \in P} \boldsymbol{K}_{\boldsymbol{p}} \times \boldsymbol{\Phi}^{\boldsymbol{p}}\right] \boldsymbol{X}\,, \tag{1.1}$$

wobei

$$\left.\begin{aligned} \boldsymbol{K}_{\boldsymbol{p}} &= -\alpha(\vec{p}\,; w)\,(\boldsymbol{I}_3 - \boldsymbol{\epsilon}_{\boldsymbol{p}} \cdot \boldsymbol{\epsilon}_{\boldsymbol{p}}') - \alpha(\vec{p}\,; r)\,(\boldsymbol{\epsilon}_{\boldsymbol{p}} \cdot \boldsymbol{\epsilon}_{\boldsymbol{p}}') \qquad \text{für} \quad \vec{p} \neq 0 \\ \text{und} \qquad \boldsymbol{K}_0 &= -\sum_{\vec{p} \neq 0}{}' \boldsymbol{K}_{\boldsymbol{p}} \end{aligned}\right\} \tag{1.2}$$

ist. Nach dem üblichen Ansatz harmonischer Schwingungen bekommen wir für die Frequenzen ω der Legierung ein Eigenwertproblem

$$\omega^2 \boldsymbol{X} = [\boldsymbol{I}_3 \times \boldsymbol{M}^{-1}] \left[\sum_{\vec{p} \in P} \boldsymbol{K}_{\boldsymbol{p}} \times \boldsymbol{\Phi}^{\boldsymbol{p}}\right] \boldsymbol{X}\,.$$

Die Matrix $\mathfrak{D}$ der Säkulargleichung für ω^2 ist also in unserem Falle

$$\mathfrak{D} = \sum_{\vec{p} \in P} \boldsymbol{K}_{\boldsymbol{p}} \times \boldsymbol{M}^{-1} \boldsymbol{\Phi}^{\boldsymbol{p}}\,. \tag{1.3}$$

Für das $2n$-te Frequenzmoment $\mathfrak{M}_{2n}$ gilt

$$\mathfrak{M}_{2n} = \frac{1}{3N} \sum_{i=1}^{3N} \omega_i^{2n} = \frac{1}{3N} \operatorname{Sp} \mathfrak{D}^n\,. \tag{1.4}$$

Hierbei ist N die Anzahl der Atome im Born-Kármánschen Grundgebiet. Die Berechnung der Spur der n-ten Potenz der Matrix $\mathfrak{D}$ (1.3) wird durch einige einfache Formeln erleichtert, die wir jetzt angeben werden.

Für die Spur eines direkten Produktes zweier Matrizen gilt

$$\operatorname{Sp}(\boldsymbol{B} \times \boldsymbol{C}) = \operatorname{Sp} \boldsymbol{B} \cdot \operatorname{Sp} \boldsymbol{C}\,. \tag{1.5}$$

Es sei weiter $\boldsymbol{B}$ eine beliebige Diagonalmatrix N_1^3-ter Ordnung

$$\boldsymbol{B} \equiv \boldsymbol{B}(0, 0, 0) = \|b_{ijk} \cdot \delta_{il} \cdot \delta_{jm} \cdot \delta_{kn}\|\,.$$

Von der Matrix $\boldsymbol{B}(0, 0, 0)$ kann man weitere Diagonalmatrizen $\boldsymbol{B}(p, q, r)$ nach der folgenden Regel ableiten:

$$[\boldsymbol{B}(p, q, r)]_{ijk,\,lmn} = b_{i+p,\, j+q,\, k+r} \cdot \delta_{il}\, \delta_{jm}\, \delta_{kn}\,,$$

oder, falls wir dieselbe Bezeichnung der Indextripel wie in der Arbeit I benutzen,

$$[\boldsymbol{B}(\boldsymbol{p})]_{i,l} = b_{i+p}\, \delta_{i,l}\,, \tag{1.6}$$

wobei die Indizes $i + p$, $j + q$, $k + r$ wieder modulo N_1 zu verstehen sind.

Für die Matrizen $\boldsymbol{\Phi}^{\boldsymbol{p}}$ (I, 1.4) ist folgende Beziehung leicht zu beweisen

$$\boldsymbol{\Phi}^{\boldsymbol{p}}\, \boldsymbol{B}(\boldsymbol{t}) = \boldsymbol{B}(\boldsymbol{t} + \boldsymbol{p})\, \boldsymbol{\Phi}^{\boldsymbol{p}}\,. \tag{1.7}$$

($\boldsymbol{B}$ — beliebige Diagonalmatrix, $\boldsymbol{t} + \boldsymbol{p}$ ist *mod* $\boldsymbol{N}\,(N_1, N_1, N_1)$ zu verstehen).

2. Der geometrisch-kombinatorische Ausdruck für die Frequenzmomente

Berechnen wir jetzt die n-te Potenz der Matrix $\mathfrak{D}$ (1.3)

$$\mathfrak{D}^n = \Big[\sum_{\vec{p}\in P} \boldsymbol{K_p} \times \boldsymbol{M}^{-1}\boldsymbol{\Phi^p}\Big]^n$$
$$= \sum_{\vec{p}\in P} \boldsymbol{K_p} \times \boldsymbol{M}^{-1}\boldsymbol{\Phi^p} \cdot \sum_{\vec{s}\in P} \boldsymbol{K_s} \times \boldsymbol{M}^{-1}\boldsymbol{\Phi^s} \cdot \sum_{\vec{v}\in P} \boldsymbol{K_v} \times \boldsymbol{M}^{-1}\boldsymbol{\Phi^v} \ldots$$
$$= \sum_{\vec{p},\vec{v},\vec{s},\ldots\in P} \boldsymbol{K_p}\,\boldsymbol{K_s}\,\boldsymbol{K_v}\cdots \times \boldsymbol{M}^{-1}\boldsymbol{\Phi^p}\boldsymbol{M}^{-1}\boldsymbol{\Phi^s}\boldsymbol{M}^{-1}\boldsymbol{\Phi^v}\ldots,$$

und weiter nach (1.7)

$$\mathfrak{D}^n = \underbrace{\sum_{\vec{p},\vec{s},\vec{v},\ldots\in P}}_{n} \boldsymbol{K_p}\,\boldsymbol{K_s}\,\boldsymbol{K_v}\ldots$$
$$\times \boldsymbol{M}^{-1}(0)\,\boldsymbol{M}^{-1}(\boldsymbol{p})\,\boldsymbol{M}^{-1}(\boldsymbol{p}+\boldsymbol{s})\,\boldsymbol{M}^{-1}(\boldsymbol{p}+\boldsymbol{s}+\boldsymbol{v})\ldots\boldsymbol{\Phi}^{\boldsymbol{p}+\boldsymbol{s}+\boldsymbol{v}+\cdots}.$$

Für die Spur bekommen wir nach (1.4)

$$\operatorname{Sp}\mathfrak{D}^n = \sum_{\vec{p},\vec{v},\vec{s},\ldots\in P} \operatorname{Sp}(\boldsymbol{K_p}\,\boldsymbol{K_s}\,\boldsymbol{K_v}\ldots)$$
$$\times \operatorname{Sp}\boldsymbol{M}^{-1}(0)\,\boldsymbol{M}^{-1}(\boldsymbol{p})\,\boldsymbol{M}^{-1}(\boldsymbol{p}+\boldsymbol{s})\,\boldsymbol{M}^{-1}(\boldsymbol{p}+\boldsymbol{s}+\boldsymbol{v})\ldots\boldsymbol{\Phi}^{\boldsymbol{p}+\boldsymbol{s}+\boldsymbol{v}+\cdots}. \tag{2.1}$$

Die Matrix $\boldsymbol{\Phi}^{\boldsymbol{p}+\boldsymbol{s}+\boldsymbol{v}+\cdots}$ hat in der Hauptdiagonale von Null verschiedene Elemente nur dann, wenn $\vec{p}+\vec{s}+\vec{v}+\cdots = 0$. Dasselbe gilt für das Produkt $\boldsymbol{B}\,\boldsymbol{\Phi}^{\boldsymbol{p}+\boldsymbol{s}+\boldsymbol{v}+\cdots}$, wenn $\boldsymbol{B}$ eine beliebige Diagonalmatrix ist. In der Summe auf der rechten Seite der Gleichung (2.1) gibt es also nur verhältnismäßig wenige von Null verschiedene Glieder, die wir jetzt aus der ganzen Summe herausnehmen wollen.

Es sei im weiteren $V(P, n)$ die Menge aller Variationen mit Wiederholung n-ter Ordnung, welche aus den Vektoren $\vec{p}_i \in P$ gebildet werden und folgende weitere Bedingung erfüllen:

Wenn

$$(\vec{p}_1, \vec{p}_2, \ldots, \vec{p}_n) \in V(P, n)\,,$$

dann ist

$$\sum_{i=1}^{n} \vec{p}_i = 0\,. \tag{2.2}$$

Nach dem oben Gesagten folgt dann aus (2.1)

$$\operatorname{Sp}\mathfrak{D}^n = \sum_{(\vec{p}_1,\ldots,\vec{p}_n)\in V(P,n)} \operatorname{Sp}(\boldsymbol{K}_{\boldsymbol{p}_1}\boldsymbol{K}_{\boldsymbol{p}_2}\ldots\boldsymbol{K}_{\boldsymbol{p}_n})$$
$$\times \operatorname{Sp}\boldsymbol{M}^{-1}(\boldsymbol{p}_1)\,\boldsymbol{M}^{-1}(\boldsymbol{p}_1+\boldsymbol{p}_2)\ldots\boldsymbol{M}^{-1}(\boldsymbol{p}_1+\boldsymbol{p}_2+\cdots+\boldsymbol{p}_n)\,. \tag{2.3}$$

Die Summation $\sum_{(\vec{p}_1,\ldots,\vec{p}_n)\in V(P,n)}$ in (2.3) ist über alle Variationen der Vektoren $\vec{p}_i \in P$ n-ter Ordnung mit Wiederholung, für die (2.2) erfüllt ist, zu verstehen.

Um die weitere Behandlung zu vereinfachen, ist es vorteilhaft, zu einer geometrischen Interpretation der Gleichung (2.3) zu übergehen (Fig. 1). Jeder Variation $(\vec{p}_1,\ldots,\vec{p}_n) \in V(P, n)$ ((2.2)) wird im Kristallgitter ein geschlossenes Polygon $U(\vec{p}_1,\ldots,\vec{p}_n) = (U_1, U_2, \ldots, U_n)$ zugeordnet. Als erste Ecke U_1 ($= U_{n+1}$) dieses Polygons wird ein willkürlicher Gitterpunkt $\boldsymbol{l}$ des Kristallgitters ausgewählt, und für die Seiten des Polygons gilt

$$\overrightarrow{U_i U_{i+1}} = \vec{p}_i\,; \quad i = 1, 2, \ldots, n \tag{2.4}$$

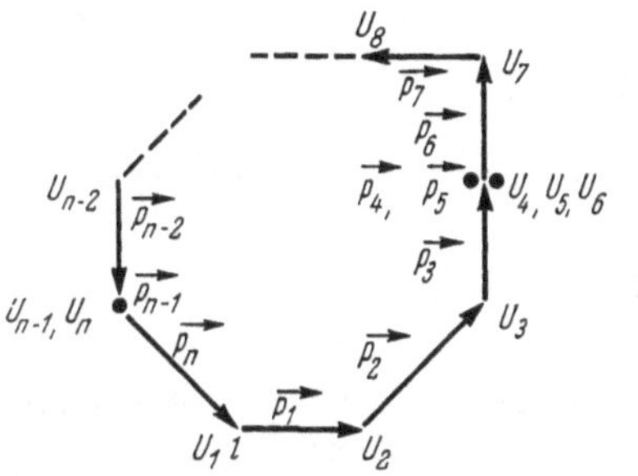

Fig. 1a. $r(\boldsymbol{p}_1) = 1,\ r(\boldsymbol{p}_1 + \boldsymbol{p}_2) = 1,\ r(\boldsymbol{p}_1 + \boldsymbol{p}_2 + \boldsymbol{p}_3) = 3, \ldots,$
$r(\boldsymbol{p}_1 + \boldsymbol{p}_2 + \cdots + \boldsymbol{p}_{n-2}) = 2$

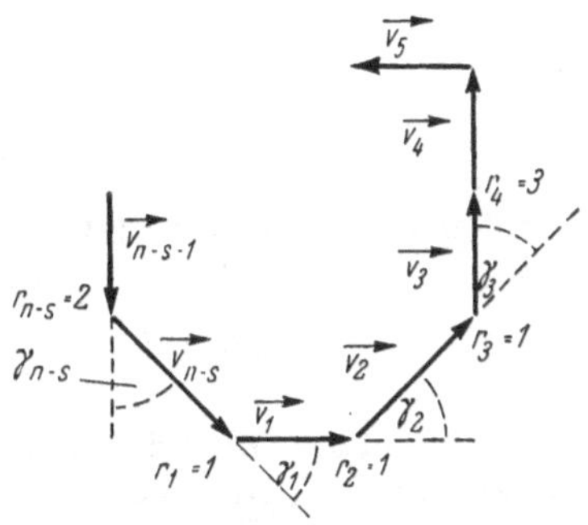

Fig. 1b

Weil die Menge P auch den Nullvektor enthält, kann auch $U_i = U_{i+1}$ sein. Ferner sind neben einfachen Polygonen auch sich selbst schneidende Polygone möglich, so daß in einem Gitterpunkte $\boldsymbol{l} + \boldsymbol{t}$ des Kristallgitters mehrere Polygonecken U_i liegen können. Es bedeute $r(\boldsymbol{t})$ die Anzahl der verschiedenen Indizes i $(1 \leqq i \leqq n)$, für die $U_i = \boldsymbol{l} + \boldsymbol{t}$ gilt. Dann ist

$$\begin{aligned} &\operatorname{Sp} \boldsymbol{M}^{-1}(\boldsymbol{p}_1)\, \boldsymbol{M}^{-1}(\boldsymbol{p}_1 + \boldsymbol{p}_2) \ldots \boldsymbol{M}^{-1}(\boldsymbol{p}_1 + \boldsymbol{p}_2 + \cdots + \boldsymbol{p}_n) \\ &= \sum_{\boldsymbol{l} \in G} \frac{1}{M_{\boldsymbol{l}+\boldsymbol{p}_1}} \cdot \frac{1}{M_{\boldsymbol{l}+\boldsymbol{p}_1+\boldsymbol{p}_2}} \cdots \frac{1}{M_{\boldsymbol{l}+\boldsymbol{p}_1+\cdots+\boldsymbol{p}_n}} \\ &= \sum_{\boldsymbol{l} \in G} \prod_{\vec{t} \in U(\vec{p}_1, \ldots, \vec{p}_n)} [M_{\boldsymbol{l}+\boldsymbol{t}}^{r(\boldsymbol{t})}]^{-1} = N \left\langle \prod_{\vec{t} \in U(\vec{p}_1, \ldots, \vec{p}_n)} [M_{\boldsymbol{l}+\boldsymbol{t}}^{r(\boldsymbol{t})}]^{-1} \right\rangle . \end{aligned} \tag{2.5}$$

G ist das Born-Kármánsche Grundgebiet des Kristalls.

In dem Produkt $\prod_{\vec{t} \in U(\vec{p}_1, \ldots, \vec{p}_n)}$ in der letzten Formel treten nur die voneinander verschiedenen Ecken des Polygons U auf. Die Bezeichnung $\langle\ \rangle$ bedeutet den Mittelwert über alle N Gitterpunkte des Born-Kármánschen Grundgebietes G.

Jeder Variation $(\vec{p}_1, \ldots, \vec{p}_n) \in V(P, n)$ (2.2) (bzw. jedem Polygon $U(\vec{p}_1, \vec{p}_2, \ldots, \vec{p}_n)$) wird also nach (2.3) und (2.5) ein Wert $H(\vec{p}_1, \ldots, \vec{p}_n)$ zugeordnet,

$$H(\vec{p}_1, \ldots, \vec{p}_n) = \operatorname{Sp}\,(\boldsymbol{K}_{\boldsymbol{p}_1} \boldsymbol{K}_{\boldsymbol{p}_2} \ldots \boldsymbol{K}_{\boldsymbol{p}_n}) \left\langle \prod_{\vec{t} \in U(\vec{p}_1, \ldots, \vec{p}_n)} [M_{\boldsymbol{l}+\boldsymbol{t}}^{r(\boldsymbol{t})}]^{-1} \right\rangle , \tag{2.6}$$

und aus (1.4), (2.3) und (2.6) folgt dann

$$\mathfrak{M}_{2n} = \frac{1}{3N} \operatorname{Sp} \mathfrak{D}^n = \frac{1}{3} \sum_{(\vec{p}_1, \ldots, \vec{p}_n) \in V(P, n)} H(\vec{p}_1, \ldots, \vec{p}_n) . \tag{2.7}$$

Die Summation in (2.7) ist über alle Variationen n-ter Ordnung mit Wiederholung, die in (2.2) definiert sind, durchzuführen.

Der Mittelwert $\langle\ \rangle$ in (2.6) ist von der Struktur der Legierung abhängig.

Im einfachsten Falle definieren wir eine zweiatomige Legierung wie folgt: Es sei q_1 (bzw. q_2) die Wahrscheinlichkeit, daß ein beliebiger Gitterpunkt mit der Masse $M(1)$ (bzw. $M(2)$) besetzt ist; $q_1 + q_2 = 1$. Dann ist

$$\left\langle \prod_{\vec{t} \in U(\vec{p}_1, \ldots, \vec{p}_n)} [M_{\boldsymbol{l}+\boldsymbol{t}}^{r(\boldsymbol{t})}]^{-1} \right\rangle = \prod_{\vec{t} \in U(\vec{p}_1, \ldots, \vec{p}_n)} \langle [M_{\boldsymbol{l}+\boldsymbol{t}}^{r(\boldsymbol{t})}]^{-1} \rangle = \prod_{\vec{t} \in U(\vec{p}_1, \ldots, \vec{p}_n)} \Delta(r_{\boldsymbol{t}}) , \tag{2.8}$$

wobei

$$\Delta(r_t) = q_1\left(\frac{1}{M(1)}\right)^{r(t)} + q_2\left(\frac{1}{M(2)}\right)^{r(t)}. \tag{2.9}$$

Für den Wert eines Polygons bekommen wir also in diesem Falle nach (2.6) und (2.8)

$$H(\vec{p}_1, \ldots, \vec{p}_n) = \prod_{\vec{t} \in U(\vec{p}_1, \ldots, \vec{p}_n)} \Delta(r_t) \cdot \mathrm{Sp} \prod_{i=1}^{n} \boldsymbol{K}_{\boldsymbol{p}_i}. \tag{2.10}$$

Die Formeln (2.6) und (2.7) bzw. (2.10) gelten für beliebige einfache dreidimensionale Kristallgitter und erweitern die früheren Ergebnisse [4]. Diese Formeln führen eigentlich die Multiplikation der Matrizen von großer Ordnung 3 N_1^3 auf eine geometrisch-kombinatorische Aufgabe zurück. Dieses geometrisch-kombinatorische Problem erinnert an einige Aufgaben von PÓLYA [5]. Es ist uns jedoch bisher noch nicht gelungen, irgendeine erzeugende Funktion zu konstruieren. Jedenfalls sind aber die kombinatorischen Probleme für die Benutzung der elektronischen Rechenmaschinen gut geeignet.

3. Die Invarianzrelationen für den Wert eines Polygons. Beschränkung auf Radialkräfte

Die Berechnung der Summe in der Formel (2.7) kann erleichtert werden, wenn man die Operationen ermittelt, welche den Wert von $H(\vec{p}_1, \ldots, \vec{p}_n)$ nicht ändern.

Wir möchten zunächst an einige wohlbekannte Sätze erinnern. Es seien $\boldsymbol{B}_1, \boldsymbol{B}_2, \ldots, \boldsymbol{B}_n$ beliebige quadratische Matrizen. Es gilt

$$\mathrm{Sp}\,(\boldsymbol{B}_1 \boldsymbol{B}_2 \ldots \boldsymbol{B}_n) = \mathrm{Sp}\,(\boldsymbol{B}_2 \boldsymbol{B}_3 \ldots \boldsymbol{B}_n \boldsymbol{B}_1)\,, \tag{3.1}$$

(Invarianz der Spur eines Produkts bezüglich einer zyklischen Permutation)

$$\mathrm{Sp}\,(\boldsymbol{B}_1 \boldsymbol{B}_2 \ldots \boldsymbol{B}_n) = \mathrm{Sp}\,(\boldsymbol{D} \boldsymbol{B}_1 \boldsymbol{D}^{-1} \boldsymbol{D} \boldsymbol{B}_2 \boldsymbol{D}^{-1} \ldots \boldsymbol{D} \boldsymbol{B}_n \boldsymbol{D}^{-1})\,, \tag{3.2}$$

(Invarianz der Spur bezüglich einer Ähnlichkeitstransformation)

$$\mathrm{Sp}\,(\boldsymbol{B}_1 \boldsymbol{B}_2 \ldots \boldsymbol{B}_n) = \mathrm{Sp}\,(\boldsymbol{B}_n \ldots \boldsymbol{B}_2 \boldsymbol{B}_1) \tag{3.3}$$

nur für symmetrische Matrizen $\boldsymbol{B}_i$.

Nach Abschnitt 2 wird jeder Variation

$$(\vec{p}_1, \vec{p}_2, \ldots, \vec{p}_n) \in V(P, n) \tag{2.2}$$

ein Polygon $U(\vec{p}_1, \ldots, \vec{p}_n) = (U_1, \ldots, U_n)$ zugeordnet, wobei als der Anfangspunkt U_1 (= der Anfangspunkt des Vektors $\vec{p}_1$) ein beliebiger Gitterpunkt $\boldsymbol{l}$ ausgewählt werden kann und die anderen Ecken des Polygons $U_2, U_3, \ldots, U_n$ dann schon eindeutig durch die Reihenfolge der Vektoren $\vec{p}_1, \vec{p}_2, \ldots, \vec{p}_n$ bestimmt werden. Wir beschränken uns auf den Fall der früher besprochenen einfachen Legierungen, wenn der Wert des Polygons (der Variation) $H(\vec{p}_1 \ldots, \vec{p}_n)$ durch (2.10) gegeben wird.

Man sieht leicht, daß der Wert der Permutation invariant gegenüber einer zyklischen Permutation der Vektoren $\vec{p}_i$ ist, d. h.

$$H(\vec{p}_1, \vec{p}_2, \ldots, \vec{p}_n) = H(\vec{p}_2, \vec{p}_3, \ldots, \vec{p}_n, \vec{p}_1)\,. \tag{3.4}$$

Jede zyklische Permutation, welche aus einer Permutation $(\vec{p}_1, \vec{p}_2, \ldots, \vec{p}_n)$ entsteht, verschiebt nämlich nur den Anfangspunkt des Polygons in eine andere Ecke desselben Polygons. Das erste Glied auf der rechten Seite von (2.10) bleibt also unverändert. Das zweite Glied bleibt auch unverändert wegen Gleichung (3.1).

Ähnlich beweist man aus (1.2), (2.10) und (3.3)

$$H(\vec{p}_1, \vec{p}_2, \ldots, \vec{p}_n) = H(-\vec{p}_n, \ldots, -\vec{p}_2, -\vec{p}_1)\,. \tag{3.5}$$

Es sei weiter $\boldsymbol{D}$ eine Symmetrieoperation des Kristallgitters, welche den Gitterpunkt U_1 invariant läßt. Diese Symmetrieoperation wird also durch eine orthogonale Matrix dritter Ordnung $\boldsymbol{D}$ repräsentiert. Es gilt

$$H(\vec{p}_1, \vec{p}_2, \ldots, \vec{p}_n) = H(\boldsymbol{D}\vec{p}_1, \boldsymbol{D}\vec{p}_2, \ldots, \boldsymbol{D}\vec{p}_n) \,. \tag{3.6}$$

Die Operation $\boldsymbol{D}$ überführt das Polygon U in ein anderes Polygon $\boldsymbol{D}\,U$ durch Drehung oder Spiegelung und läßt also wieder das erste Glied in dem Ausdruck (2.10) für H unverändert. Aus der Definition der $\boldsymbol{K}_{\boldsymbol{p}_i}$ (1.2) ist weiter klar, daß

$$\boldsymbol{K}_{\boldsymbol{D}\boldsymbol{p}_i} = \boldsymbol{D}\,\boldsymbol{K}_{\boldsymbol{p}_i}\,\boldsymbol{D}^{-1} \tag{3.7}$$

ist. Aus (3.7) und (3.2) folgt dann unmittelbar die Behauptung (3.6).

Eine besonders anschauliche geometrische Interpretation des Ausdrucks (2.10) für den Wert eines Polygons ergibt sich für den Fall, daß wir uns nur auf Radialkräfte und auf Kristallgitter beschränken, wo $\boldsymbol{K}_0$ eine konstante Matrix ist. Wir setzen also voraus

$$\left.\begin{aligned} \boldsymbol{K}_{\boldsymbol{p}} &= -\,\alpha_{\vec{p}}(\boldsymbol{\epsilon}_{\boldsymbol{p}} \cdot \boldsymbol{\epsilon}'_{\boldsymbol{p}}) \qquad \text{für} \quad \vec{p} \in P,\ \vec{p} \neq 0\,, \\ \boldsymbol{K}_0 &= -\,\alpha_0\,\boldsymbol{I}_3\,. \end{aligned}\right\} \tag{3.8}$$

In der Variation $(\vec{p}_1, \ldots, \vec{p}_n) \in V(P, n)$ seien s Nullvektoren $\vec{p}_i$. Die von Null verschiedenen Vektoren $\vec{p}_i$ seien jetzt $\vec{v}_1, \vec{v}_2, \ldots, \vec{v}_{n-s}$, wobei die Reihenfolge der Vektoren $\vec{v}_i$ dieselbe wie in der Variation $(\vec{p}_1, \vec{p}_2, \ldots, \vec{p}_n)$ ist (Fig. 1b). In diesem Falle gilt also

$$\begin{aligned} &\operatorname{Sp}(\boldsymbol{K}_{\boldsymbol{p}_1}\boldsymbol{K}_{\boldsymbol{p}_2}\ldots\boldsymbol{K}_{\boldsymbol{p}_n}) = \\ &= (-1)^n\,\alpha_0^s\cdot\alpha_{\vec{v}_1}\alpha_{\vec{v}_2}\ldots\alpha_{\vec{v}_{n-s}}\operatorname{Sp}\left(\boldsymbol{\epsilon}_{v_1}\boldsymbol{\epsilon}'_{v_1}\boldsymbol{\epsilon}_{v_2}\boldsymbol{\epsilon}'_{v_2}\ldots\boldsymbol{\epsilon}_{v_{n-s}}\boldsymbol{\epsilon}'_{v_{n-s}}\right) \\ &= (-1)^n\,\alpha_0^s\cdot\alpha_{\vec{v}_1}\alpha_{\vec{v}_2}\ldots\alpha_{\vec{v}_{n-s}}\cos\gamma_2\cos\gamma_3\ldots\cos\gamma_{n-s}\cdot\cos\gamma_1\,, \end{aligned} \tag{3.9}$$

wo γ_i der Winkel zwischen den Vektoren $\vec{v}_i$ und $\vec{v}_{i-1}$ bedeutet.

Wenn also die Gleichungen (3.8) gültig sind, nimmt der Ausdruck (2.10) für den Wert einer Variation die folgende Form an

$$H(\vec{p}_1, \ldots, \vec{p}_n) = \\ = (-1)^n\,\alpha_0^s\prod_{i=1}^{n-s}\alpha_{\vec{v}_i}\,\Delta(r_i)\cos\gamma_i\,. \tag{3.10}$$

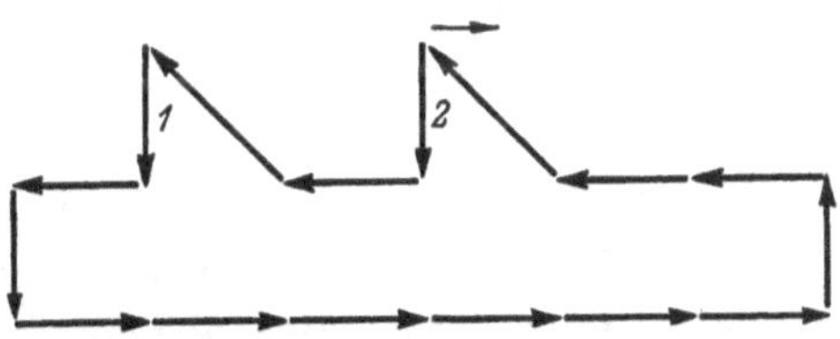

Fig. 2

Aus dieser Formel für den Wert eines Polygons wird die Gültigkeit der Relationen (3.4), (3.5) und (3.6) unmittelbar klar. Außer diesen sind im Falle (3.10) noch viel allgemeinere Invarianzrelationen gültig. Der Wert eines Polygons in der Fig. 2 ändert sich z. B. nicht, wenn der „Buckel“ 2 von dem „Buckel“ 1 wegläuft.

Literatur

[1] O. Litzman und P. Rózsa, phys. stat. sol. **2**, 28 (1962).
[2] A. N. Men und A. N. Orlov, Fiz. metallov i metalloved. **7**, 335 (1959); **8**, 154 (1959).
[3] P. Dean, J. L. Martin, Proc. Roy. Soc. **259**, 409 (1960).
[4] C. Domb, A. A. Maradudin, E. W. Montroll und G. H. Weiss, Phys. Rev. **115**, 18 (1959); **115**, 24 (1959).
[5] G. Pólya, Acta Mathematica **68**, 145 (1937).

(Received November 2, 1961)

IV. Physikalisches Institut der Humboldt-Universität und Physikalisch-Technisches Institut der Deutschen Akademie der Wissenschaften zu Berlin

Zum elektrischen Durchschlag von Kadmiumsulfid-Aufdampfschichten

Von

K. W. Böer[1]), J. Dziesiaty, U. Kümmel[2]) und W. Misselwitz

Bei Durchschlagsmessungen an CdS-Aufdampfschichten kann durch Variation der Belastungszeit ein Übergang vom Wärme- zum Felddurchschlag erzielt werden. Ein reiner Felddurchschlag wurde an den untersuchten Schichten nur bei Impulsbelastungen im μs-Bereich erhalten.

Aus der Dickenabhängigkeit der Durchschlagsfeldstärke im Felddurchschlagsbereich kann nach einer von Fröhlich abgeleiteten Abschätzung der zum Durchschlag erforderlichen Mindestfeldstärke angenommen werden, daß die für den Durchschlag erforderlichen Ladungsträger aus Termen der verbotenen Zone stammen.

Im Wärmedurchschlagsbereich wurde eine ähnliche Abhängigkeit der Schichtdicke von der Durchschlagsfeldstärke gefunden und kann durch eine Erhöhung der Wärmeableitung mit abnehmender Schichtdicke erklärt werden.

A transition from thermal to electrical breakdown is obtained with evaporated CdS-layers, by varying the duration of applied field. With the layers investigated, electrical breakdown is observed only for pulse lengths below the order of microseconds. The measured dependence of the breakdown voltage on the layer thickness in the region of electrical breakdown, and Fröhlich's estimate of the minimum field strength together imply that breakdown involves a release of current carriers from impurity levels. A similar variation of the breakdownvoltage with layer thickness has been found in the case of thermal breakdown, which can be attributed to an increase of heat dissipotion appearing with decreasing layer thickness.

1. Einleitung

In einer Vielzahl vorangegangener Untersuchungen an CdS-Einkristallen wurde gezeigt, daß der elektrische Anregungsprozeß für den Felddurchschlag im Kadmiumsulfid offenbar erheblich komplizierter ist als bisher angenommen wurde [1 bis 7]. Die Ursachen hierfür sind, daß im Durchschlagsbereich das Feld räumlich inhomogen wird und sich mehrere den Leitungsvorgang beeinflussende Effekte überlagern, so z. B. eine rein elektrische Anregung von Elektronen aus Termen in der verbotenen Zone oder aus dem Valenzband in das Leitungsband, Einflüsse von Kontaktrandschichten bzw. einer Injektion, sowie schließlich die in [8 bis 10] beschriebenen elektrothermischen bzw. elektro-thermo-mechanischen Erscheinungen.

Es ist nun von großem Interesse, weitere Auskünfte über den elektrischen Anregungsprozeß selbst zu erhalten und insbesondere den Mechanismus dieses Anregungsprozesses aufzuklären. Zu diesem Zweck wurden von uns Durchschlagsmessungen an dünnen CdS-Schichten mit unterschiedlichen Belastungszeiten durchgeführt, und zwar

---

[1]) New York University, Physics Department

[2]) Osram Studiengesellschaft, Augsburg

a) stationäre Messungen durch ein schrittweises Erhöhen der Spannung bis zum Durchschlag,

b) Messungen mit sägezahnförmig ansteigenden Spannungsimpulsen zwischen $5 \cdot 10^{-2}$ und 1 s Dauer (Langzeitimpulse),

c) Messungen mit Rechteckimpulsen von $5 \cdot 10^{-6}$ s Dauer (Kurzzeitimpulse).

Es kann angenommen werden, daß bei den relativ zu den hochohmigen CdS-Einkristallen niederohmigeren Schichten trotz guter Wärmeableitung bei stationärer Belastung ein Wärmedurchschlag stattfindet, daß aber mit einer Verkürzung der Belastungszeiten der Wärmedurchschlag zu einem Felddurchschlag übergeht.

Bei der Verwendung dünner CdS-Schichten für Durchschlagsuntersuchungen ist zu erwarten, daß die Feldverteilung in solchen Schichten homogener ist als in dickeren Kristallen, sobald mit abnehmender Schichtdicke der Elektrodenabstand vergleichbar mit der Diffusionslänge der Elektronen wird. Außerdem schließt die Anwendung kurzer Spannungsimpulse die Ausbildung belastungsbedingter Feldinhomogenitäten aus. Wird als weitere Fälschung der Meßresultate eine Majoritätsträgerinjektion durch Verwendung sperrender Kontakte vermieden, dann ist zu erwarten, daß als Ergebnis solcher Untersuchungen tatsächlich ein echter Wert der Feldstärke für den elektrischen Durchschlag experimentell bestimmt werden kann.

Aus der mit den unter b) und c) beschriebenen Impulsspannungen gemessenen Dickenabhängigkeit der Durchschlagsfeldstärke sollen weitere Hinweise auf den Mechanismus des Durchschlages gewonnen und im Felddurchschlagsbereich eine Abschätzung der zur Auslösung des Durchschlags erforderlichen Ionisierungsenergie durchgeführt werden.

2. Experimentelle Anordnung

2.1 Aufdampfvorrichtung

Die Schichten wurden in einer Hochvakuumapparatur auf eine polierte, verchromte Kupferplatte, die sich beim Aufdampfprozeß auf einer Temperatur von etwa 250 °C befand, aufgedampft. Die Aufdampfvorrichtung zeigt Fig. 1. Für die Herstellung dickerer Schichten wurde das zu verdampfende CdS-Pulver aus einer geneigten drehbaren Röhre über einen Quarztrichter sukzessiv der Verdampfungsspirale zugeführt und verdampft.

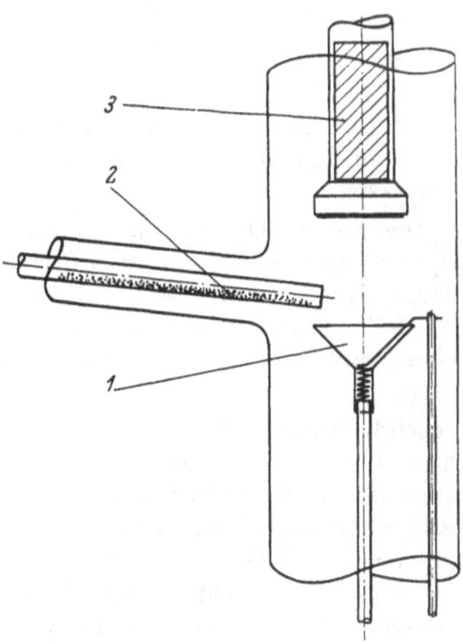

Fig. 1. Aufdampfvorrichtung

1: Quarztrichter mit Verdampfungsspirale
2: Glasrohr mit CdS-Pulver
3: Ausheizbare Haltevorrichtung für Schichtträger

Die mit dieser Methode hergestellten Schichten waren über eine Fläche von etwa 10 cm² optisch homogen und zeigten bei elektrischer Belastung in Richtung der Schichtnormalen für verschiedene Bereiche der Schichtfläche nur sehr geringe Leitfähigkeitsunterschiede.

Die Messung der Schichtdicke erfolgte bei dickeren Schichten durch Wägung und bei dünneren Schichten durch die Interferenzfarbenmethode [11].

2.2 Kontaktierung

Die eine Elektrode der aufgedampften Schicht bildete die als Schichtträger dienende verchromte Kupferplatte, die Gegenelektrode ein in einem Trolytulzylinder mit einer Bohrung von 1 mm ∅ geführter Quecksilbertropfen (siehe Fig. 2). Infolge des Eigengewichtes des in dieser Bohrung ruhenden Tropfens schmiegte sich dieser sowohl der Bohrung als auch der Schicht eng an. Auf diese Weise konnten Randdurchschläge vermieden werden. Durch ein Verschieben dieser Quecksilberelektrode auf der Schicht konnten auf bequeme Art viele voneinander unabhängige Durchschlagsmessungen an einer Schicht durchgeführt werden.

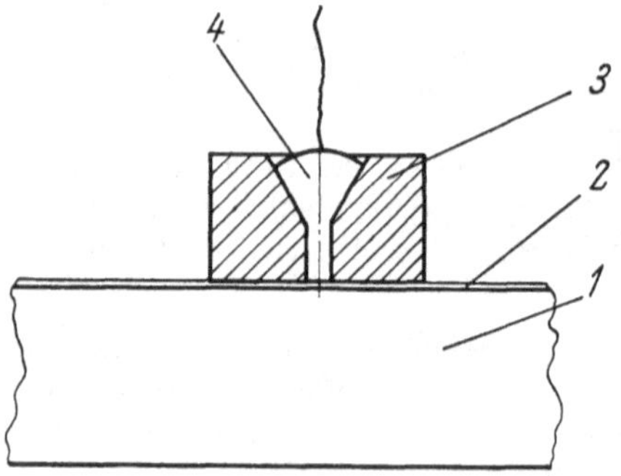

Fig. 2. Kontaktvorrichtung
1: Schichtträgerplatte
2: Aufdampfschicht
3: Trolytulzylinder
4: Quecksilbertropfen

2.3 Elektrische Anordnung

Erfolgte die Aufnahme der Strom-Spannungs-Charakteristiken im stationären Zustand, so wurde der Strom mit einem niederohmigen Lichtmarkengalvanometer gemessen.

Die für die Durchschlagsmessungen benutzten sägezahnförmig ansteigenden Spannungsimpulse wurden durch ein motorgetriebenes Drehpotentiometer erzeugt. Durch Variation der Drehzahl konnte die Impulslänge zwischen 1 s und $5 \cdot 10^{-2}$ s geändert werden. Strom- und Spannungsverlauf wurden mit Hilfe eines Schleifenoszillographen registriert.

Als Impulsgeber für kurzzeitige Impulse diente die im Blockschaltbild der Fig. 3 gezeigte Anlage. Der Impulsgenerator gab rechteckige oder trapezförmige Spannungsimpulse ab, deren Zeitdauer zwischen einer Mikrosekunde und einer Millisekunde variiert werden konnte. Diese Impulse wurden einem Verstärker in Anodenbasisschaltung zugeführt, um eine möglichst geringe Ausgangsimpedanz (kleiner als 50 Ohm) zu erhalten. Die Amplitude der Spannungsimpulse betrug maximal 25 V_{ss}. Ein quarzstabilisierter Zeitmarkengenerator lieferte nach mehrmaliger Untersetzung die Triggerimpulse zur Auslösung des Impulsgenerators und des Impulsoszillographen. Die Periodendauer betrug 1 s. Die Spannung an der Schicht wurde über einen Breitbandverstärker mit einer Grenzfrequenz von 7 MHz an die Meßplatten des Oszillographen gelegt. Um die Vorderflanke des Impulses mit abzubilden, wurde der Impulsgenerator verzögert ausgelöst. Bei dieser Anordnung konnte nur der Verlauf der Spannung an der Schicht verfolgt werden. Auf eine Strommessung wurde verzichtet. Der Durchschlag der Schicht markierte sich durch ein Zusammenbrechen der Spannung.

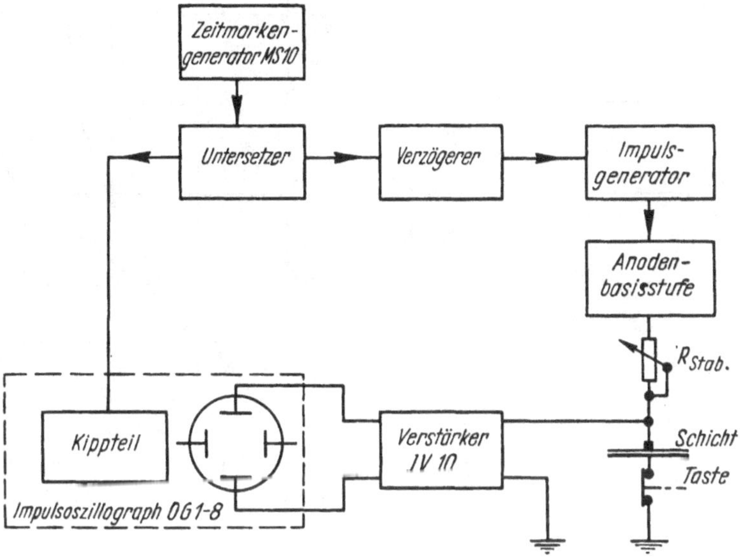

Fig. 3. Blockschaltbild der Impulsanlage für μs-Impulse

3. Meßergebnisse

3.1 Strom-Spannungs-Charakteristik

Die Strom-Spannungs-Charakteristiken der Fig. 4a bis 4c wurden an drei CdS-Aufdampfschichten von unterschiedlicher Dicke gemessen. Dabei wurde zum besseren Erkennen des Gleichrichtereffektes der positive und negative Ast der Charakteristik in denselben Quadranten gezeichnet. Es zeigt sich bei dieser Darstellung sehr deutlich, daß der infolge der unterschiedlichen Kontaktmaterialien auftretende Gleichrichtereffekt mit abnehmender Schichtdicke kleiner wird. Es ist sehr wahrscheinlich, daß hier die Dicke der Schicht mit der Tiefe der Randschicht vergleichbar wird und auf diese Weise das Abnehmen des Gleichrichtereffektes zu erklären ist.

Bei höherer Strombelastung wird die Strom-Spannungs-Charakteristik flacher. In diesem Bereich tritt gelegentlich auch ein spontanes Absinken des Stromes bei konstant gehaltener Spannung auf. Bei weiterer Spannungserhöhung verläuft die Strom-Spannungs-Charakteristik nach einem solchen Absinken, jetzt unter geringerem Winkel ansteigend, wieder normal. Eine solche typische Charakteristik ist in Fig. 5 wiedergegeben.

3.2 Strom- und Spannungsverlauf als Funktion der Zeit (langzeitige Impulse)

Strom- und Spannungsablauf einer mit sägezahnförmig ansteigenden Spannungsimpulsen belasteten Schicht zeigen die Oszillogramme der Fig. 6 und 7. In Fig. 6a ist diese Schicht in Sperrichtung, in Fig. 6b in Durchlaßrichtung gepolt. In beiden Fällen erfolgt beim ersten Impuls A der durch ein spontanes Ansteigen des Stromes

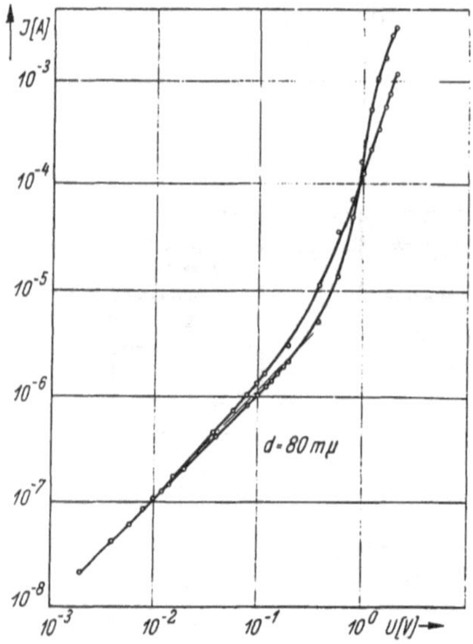

Fig. 4a

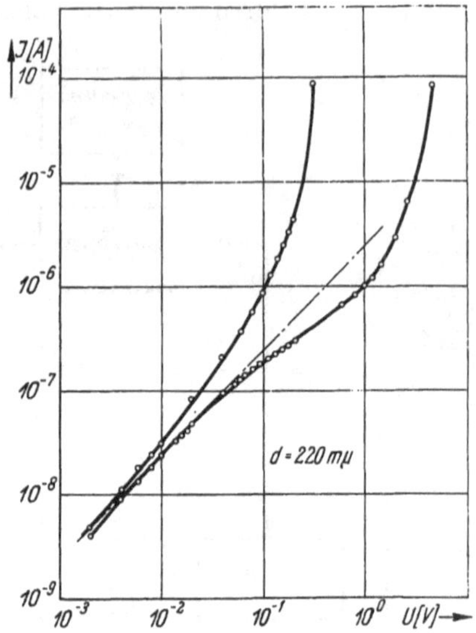

Fig. 4b

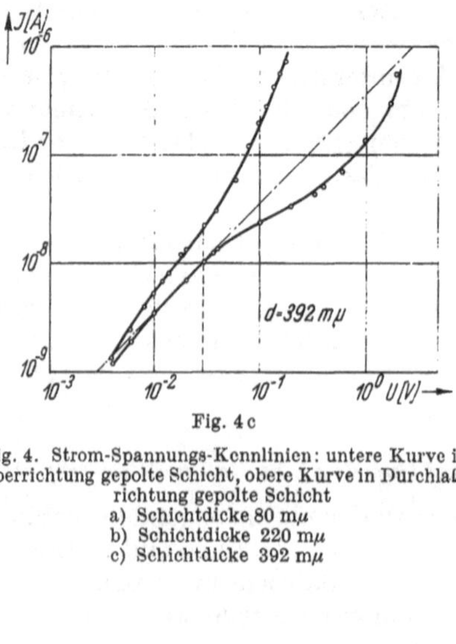

Fig. 4c

Fig. 4. Strom-Spannungs-Kennlinien: untere Kurve in Sperrichtung gepolte Schicht, obere Kurve in Durchlaßrichtung gepolte Schicht
a) Schichtdicke 80 mμ
b) Schichtdicke 220 mμ
c) Schichtdicke 392 mμ

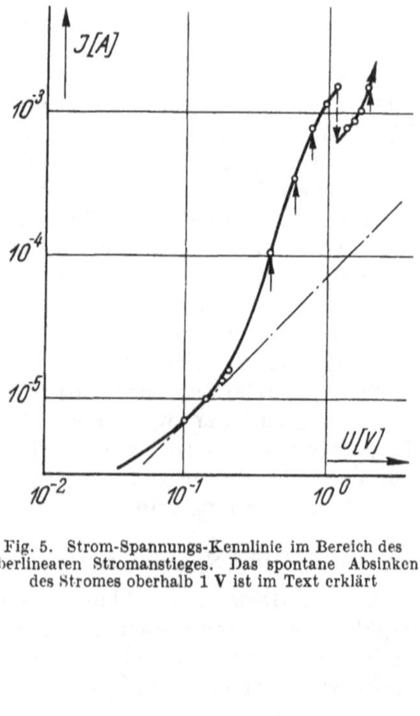

Fig. 5. Strom-Spannungs-Kennlinie im Bereich des überlinearen Stromanstieges. Das spontane Absinken des Stromes oberhalb 1 V ist im Text erklärt

bzw. Absinken der Spannung erkennbare Durchschlag. Der folgende Impuls B zeigt den Verlauf von Strom und Spannung an der infolge des vorausgegangenen Durchschlags kurzgeschlossenen Schicht. Der Verlauf des Stromes wird hierbei allein vom Widerstand des Drehpotentiometers bestimmt.

Wird die Leistungsaufnahme der Schicht durch einen Vorwiderstand von etwa 100 Ohm begrenzt, so erfolgt, wie die vier aufeinanderfolgenden Impulse der Fig. 7 zeigen, noch kein materialzerstörender Durchschlag (Stabilisierung).

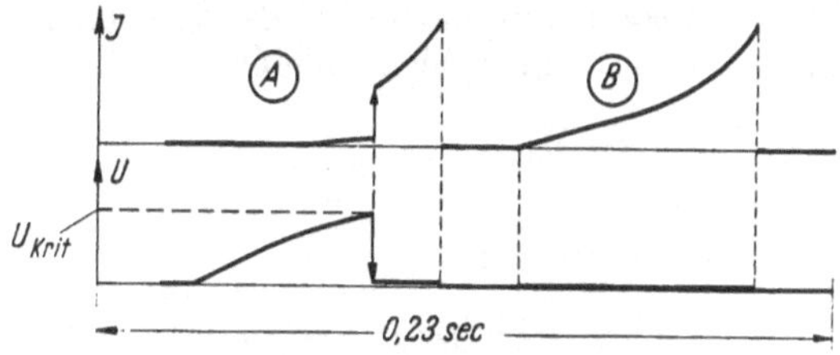

Fig. 6a. Oszillographisch aufgenommener Strom- und Spannungsablauf an einer in Sperrichtung gepolten Schicht. Bei Impuls A erfolgt der Durchschlag. Impuls B zeigt Strom- und Spannungsablauf nach dem Durchschlag

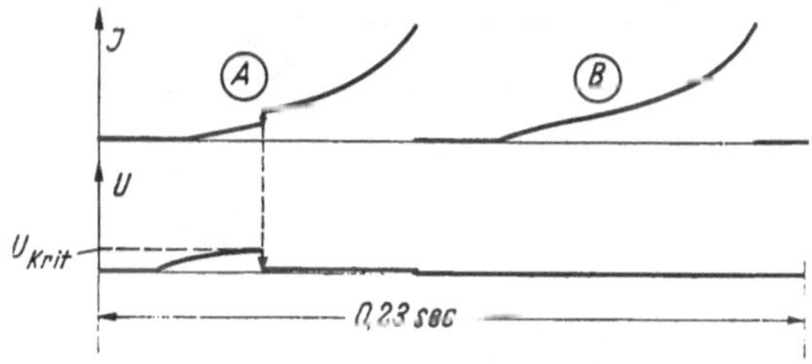

Fig. 6b. Strom- und Spannungsablauf der gleichen, aber in Durchlaßrichtung gepolten Schicht

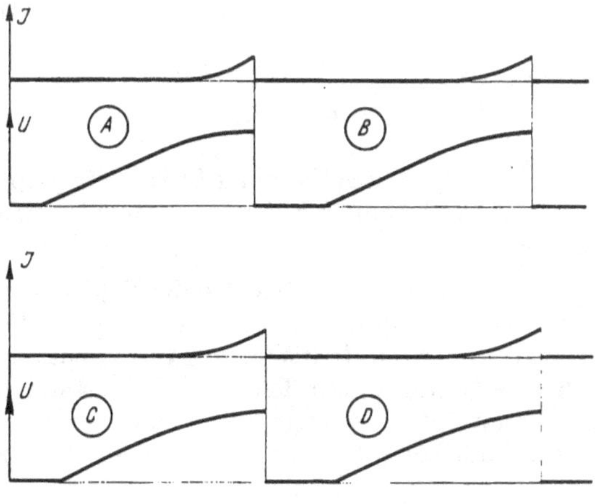

Fig. 7. Strom- und Spannungsablauf an einer Schicht, deren Leistungsaufnahme durch einen Vorwiderstand begrenzt ist

3.3 Impulsmessungen im µs-Bereich (kurzzeitige Impulse)

Der Spannungsverlauf an einer mit Rechteckimpulsen von 5 µs-Dauer belasteten Schicht wird für drei unterschiedliche Belastungsarten in Fig. 8a bis 8c gezeigt.

In Fig. 8a wurden vier mit einem zeitlichen Abstand von 1 s aufeinanderfolgende Impulse photographiert. Die Impulsspannung wurde dabei von Impuls zu Impuls schrittweise erhöht. Beim dritten Impuls wurde die Durchschlagsspannung erreicht. Das Impulsdach zeigte dabei Rauscherscheinungen. Der darauffolgende vierte Impuls zeigt, ohne daß die Spannung an der Schicht weiter erhöht wurde, mit dem völligen Zusammenbruch der Spannung den beim dritten Impuls eingeleiteten Durchschlag an.

Wird an die Schicht eine Spannung gelegt, die höher ist als die zu erwartende Durchschlagsspannung, so hat der Impuls den in Fig. 8b gezeigten Verlauf. Die Spannung an der Schicht bleibt unter starken Rauscherscheinungen bis zum

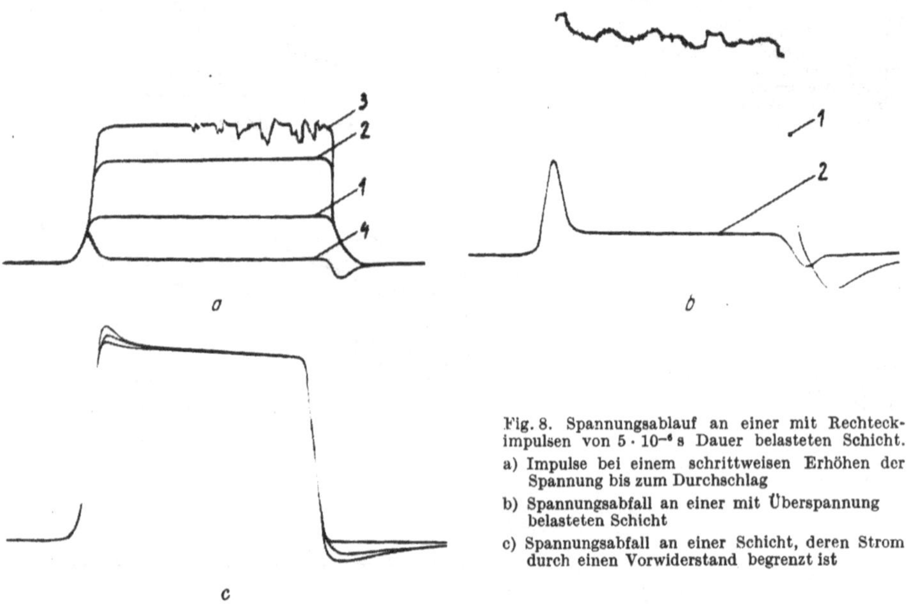

Fig. 8. Spannungsablauf an einer mit Rechteckimpulsen von $5 \cdot 10^{-6}$ s Dauer belasteten Schicht.
a) Impulse bei einem schrittweisen Erhöhen der Spannung bis zum Durchschlag
b) Spannungsabfall an einer mit Überspannung belasteten Schicht
c) Spannungsabfall an einer Schicht, deren Strom durch einen Vorwiderstand begrenzt ist

Impulsende auf dem Wert der Durchschlagsspannung. Auch hier zeigt erst wieder der folgende Impuls mit dem völligen Zusammenbruch der Spannung den Durchschlag an (2).

Wird die Leistungsaufnahme der Schicht durch einen Vorwiderstand begrenzt, dann hat der Impuls das in Fig. 8c gezeigte Aussehen. Die Spannung an der Schicht bricht auf den Wert der Durchschglasspannung zusammen, ohne daß der folgende Impuls durch den völligen Zusammenbruch der Spannung einen Durchschlag anzeigt. Derartige durch einen Vorwiderstand stabilisierte Impulse lassen sich bei der benutzten Periodendauer von 1 s beliebig oft wiederholen.

3.4 Messungen zur Abhängigkeit der Durchschlagsfeldstärke von der Schichtdicke

Die mit Spannungsimpulsen zwischen 1 s und 5 μs Dauer gemessenen Werte der Durchschlagsfeldstärke in Abhängigkeit von der Schichtdicke sind in Fig. 9 dargestellt.

Die Durchschlagswerte der mit Impulsen von 1 s Dauer untersuchten 40 Aufdampfschichten von unterschiedlicher Dicke streuen im schraffierten Bereich, wobei besonders hochohmige Schichten die obere und niederohmigere Schichten die untere Begrenzung des Streubereiches bilden.

Die mit Impulsen von 5 μs Dauer gemessene Dickenabhängigkeit der Durchschlagsfeldstärke ist in Kurve 5 der Fig. 9 dargestellt. Diese Meßwerte streuen, obgleich sie ebenfalls an zahlreichen Schichten von unterschiedlicher Leitfähigkeit gemessen wurden, nur geringfügig.

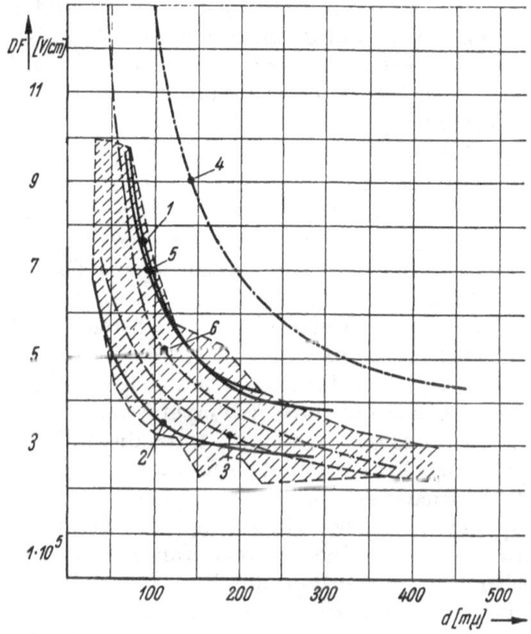

Fig. 9. Die Durchschlagsfeldstärke in Abhängigkeit von der Schichtdicke d.
Die Schraffur zeigt den Streubereich der Messungen an. Die Erklärung der Kurven 1 bis 6 erfolgt im Text

Um die Abhängigkeit der Durchschlagsfeldstärke von der Schichtdicke an ein und derselben Schicht genauer untersuchen zu können, und damit den Einfluß der Schichtindividualität zu eliminieren, wurden Schichten mit einem weiten Bereich gleitender Schichtdicke hergestellt. Dazu wurde beim Aufdampfen der Schicht zwischen dem Schichtträger und dem Verdampfungsofen eine geeignete Blende in den Dampfstrahl gebracht. Derartig hergestellte Schichten zeigen über ihr gesamtes Dickenintervall ein nahezu gleiches Leitfähigkeitsverhalten. Die Durchschlagsfeldstärken so hergestellter Schichten lassen sich ohne nennenswerte Streuungen zu einem Kurvenzug verbinden, wie die Kurven 1 und 2 der Fig. 9 zeigen, die an einer hochohmigen (Kurve 1) und an einer niederohmigeren (Kurve 2) Schicht mit Spannungsimpulsen von 1 s Dauer gemessen wurden. Die Streuungen der Meßwerte der aus verschiedenen Aufdampfprozessen hergestellten Schichten sind demnach weitgehend auf die unterschiedlichen Leitfähigkeiten dieser Schichten zurückzuführen. Die Bedeutung der Kurven 3, 4 und 6 wird in Kapitel 4.2 bei der Diskussion der Meßergebnisse erklärt.

4. Diskussion der Meßergebnisse

4.1 Wärme- und Felddurchschlag

Die bei einem langsamen Erhöhen der Spannung im jeweils stationären Zustand ermittelten Werte der Durchschlagsfeldstärke von CdS-Schichten liegen um ein bis zwei Größenordnungen niedriger als die bei Impulsspannungen gemessenen Werte. Wie die Strom-Spannungs-Kennlinien der Fig. 4 und 5 zeigen, setzt bereits bei Feldstärken oberhalb 10^4 V/cm ein überlineares Ansteigen des Stromes ein, dem bei einem weiteren nur geringfügigen Erhöhen der Spannung der Durchschlag mit einer sichtbaren Zerstörung der kontaktierten Schicht folgt, falls die Stromaufnahme nicht durch einen Vorwiderstand begrenzt wurde. Im Bereich des überlinearen Stromanstieges ändert sich, wie es in Fig. 5 durch Pfeile angedeutet ist, nach jeder Spannungserhöhung der Strom und strebt langsam einem stationären Wert zu.

Die Zeitkonstante (Sekunden) dieses Prozesses ist so groß, daß sie nicht allein auf die Einstellzeit eines elektro-thermischen Gleichgewichts der Schicht selbst zurückgeführt werden kann. Leitfähigkeitsänderungen durch Temperung homogener Schichtteile, aus denen auch eine langsame Veränderung der Charakteristik resultieren würde, scheiden ebenfalls zur Erklärung aus, da die Schicht beim Aufdampfprozeß bereits bei 250 °C getempert wurde, und eine weitere Temperaturerhöhung im Gegensatz zu den Meßresultaten höchstens ein Absinken der Leitfähigkeit verursacht [14]. Es muß daher geschlossen werden, daß hier, ähnlich wie bei Einkristallen, die Kontaktschichten inhomogen sind [10] und an Stellen besonders hoher Strombelastung durchgetempert werden. Dadurch steigt der Strom hier an, da Verarmungsrandschichten durch diesen Prozeß zerstört werden (vgl. [16]). Das gelegentlich beobachtete spontane Absinken des Stromes (vgl. Fig. 5) deutet auf das Ausfallen von Teilbereichen für den Stromfluß hin. Die mechanische Verspannung in der Umgebung eng begrenzter hocherwärmter Schichtteile könnte vielleicht eine Ursache für das Auftreten von „Rissen" oder mikroskopischen Ablösungen von der Elektrode sein (vgl. auch [7, 8, 17]), wodurch der Stromfluß schlagartig verändert wird.

Bei langzeitigen Impulsen werden, wie ein Vergleich der Kurven 1 und 5 der Fig. 9 zeigt, für besonders hochohmige und in Sperrichtung gepolte Schichten Durchschlagsfeldstärken erreicht, wie sie für Schichten unterschiedlicher Leitfähigkeit und unabhängig von der Polungsrichtung mit Impulsen im μs-Bereich gemessen werden.

Dieses Ergebnis zeigt, daß offenbar die günstige Wärmeabfuhr bei CdS-Aufdampfschichten die für einen Wärmedurchschlag erforderliche Durchschlagsfeldstärke bis in die Größenordnung der Werte des Felddurchschlages verschiebt. Eine Unterscheidung der beiden Durchschlagsarten wird dadurch sehr erschwert.

Die Betrachtung des Anfangsteiles des in Fig. 6a und 6b aufgezeichneten Verlaufs von Strom und Spannung an relativ hochohmigen Schichten zeigt, durch die Abweichung vom ohmschen Verlauf, daß die offenbar thermischen Effekte bereits $3 \cdot 10^{-2}$ s vor Beginn des eigentlichen Durchschlages einsetzen. Für die rein elektrischen Prozesse hingegen, die bei Belastung mit Kurzzeitimpulsen maßgeblich sind, können die stärkeren Abweichungen vom ohmschen Verhalten in Zeiten, die kleiner sind als 10^{-6} s, nicht beobachtet werden, wie der ungekrümmte Anstieg der Spannung an der vorderen Flanke eines trapezförmigen bis zur Durchschlagsspannung geführten Impulses zeigt (siehe Fig. 10).

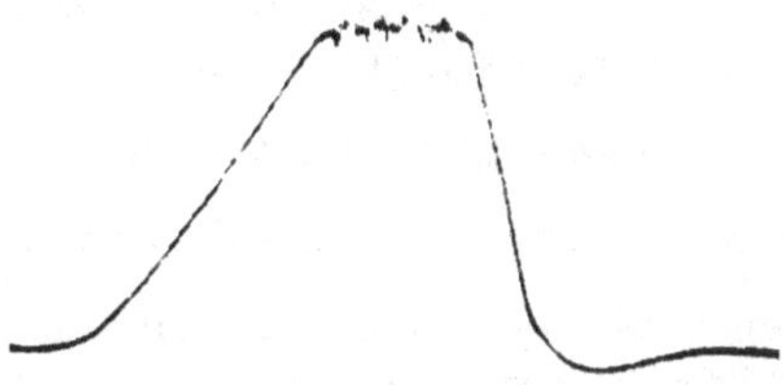

Fig. 10. Trapezförmig ansteigender Spannungsimpuls im μs-Bereich

Diese Ergebnisse zeigen, daß nur bei Impulsbelastungen im μs-Bereich ein reiner Felddurchschlag auftritt, während bei langzeitigen Impulsen ein Wärmedurchschlag stattfindet, der entscheidend von der Leitfähigkeit der Schicht beeinflußt wird.

4.2 Die Dickenabhängigkeit der Durchschlagfeldstärke

Die in Kapitel 3.4 unabhängig von der Methode gemessene Zunahme der Durchschlagsfeldstärke mit abnehmender Schichtdicke ist sowohl für den Wärmedurchschlag (durch zunehmende Wärmeableitung) als auch für den Felddurchschlag (bei Annahme einer Stoßionisation durch den zur Lawinenbildung notwendigen Raum) zu erwarten. Für den Wärmedurchschlag ist die Durchschlagsspannung der Wurzel aus der Schichtdicke proportional [12]. Daraus folgt für abnehmende Schichtdicken ein Anstieg der Durchschlagsfeldstärke entsprechend Kurve 3 der Fig. 9.

Für die Stoßionisationstheorie errechnet sich nach einer Abschätzung von FRÖHLICH [12] die Durchschlagsfeldstärke zu

$$F > \sqrt{\frac{2\,I}{m^*}} \cdot \frac{1}{b} \cdot \frac{1}{\ln\left|\dfrac{e\,d}{b\sqrt{2m^* I}}\right|}$$

I = Ionisierungsenergie
m^* = effektive Masse des Elektrons
e = Elementarladung
b = Beweglichkeit des Elektrons
d = Schichtdicke

Wird dieser Ausdruck auf CdS angewendet, dann ergibt sich mit $m^* = m_0$ für eine konstant angenommene, d. h. von der Feldstärke unabhängige Beweglichkeit $b = 100\ \mathrm{cm^2/Vs}$ und eine Ionisierungsenergie von $I = 2{,}4$ eV — das entspricht bei CdS der Breite der verbotenen Zone — ein Anstieg der Durchschlagsfeldstärke entsprechend Kurve 4 der Fig. 9. Diese Kurve liegt oberhalb der gemessenen Werte der Kurven 1 und 5 der gleichen Figur, für die reiner Felddurchschlag angenommen werden konnte.

Bei Berücksichtigung von $m^* < m_0$ und der Tatsache, daß die Beweglichkeit bei hohen Feldstärken erheblich abnimmt, verschiebt sich diese Kurve noch zu höheren Feldstärkewerten. Die experimentell gefundenen Werte sollten nach obiger Ungleichung aber oberhalb dieser Kurven liegen. Dieser Widerspruch könnte auf zwei Wegen beseitigt werden:

a) Der Durchschlag wird nicht durch Stoßionisation verursacht.

b) Die Elektronen stammen nicht aus dem Valenzband.

Die Möglichkeit a) würde aber die zur Zeit einzige bekannte Erklärung der allgemein beobachteten Zunahme der Durchschlagsfeldstärke mit abnehmender Schichtdicke beseitigen, wenn von einer Erklärung durch Feldinhomogenitäten abgesehen wird.

Akzeptiert man zur Erklärung dieMöglichkeit b), so kann man die energetische Tiefe der Terme abschätzen, aus denen eine rein elektrische Anregung erfolgt. Mit $m^* = 0{,}3\ m_0$, einer Ionisierungsenergie von 0,3 eV[3]) und einer Beweglichkeit von 100 cm²/Vs errechnet sich Kurve 6 der Fig. 9. Diese Kurve liegt, wie es die Abschätzung von FRÖHLICH verlangt, unterhalb der gemessenen Werte der Durchschlagsfeldstärke des Felddurchschlages. Sie stützt die von den Autoren schon einmal in einem anderen Zusammenhang diskutierte Möglichkeit [13], daß bei CdS die durch Stoßionisation freigesetzten Elektronen aus Termen der verbotenen Zone stammen und ausreichen, um den Durchschlag herbeizuführen.

Akzeptiert man die hier angegebene Erklärung, so resultiert für die Durchschlagsfeldstärke dieser CdS-Schichten ein aus der asymptotisch für große Schichtdicken entnehmbarer Wert von $\approx 1{,}5 \cdot 10^5$ V/cm, der erheblich über dem für CdS-Kristalle von uns früher (vgl. [14]) angegebenen Wert liegt. Nach den hier geführten Überlegungen sollte die Durchschlagsfeldstärke für Kristalle aber noch über diesem Wert liegen, da sie weniger gestört sind und der energetische Abstand der Störstellen, aus denen eine elektrische Anregung erfolgen kann, sicher größer ist. Dieses Ergebnis zeigt, daß bei Kristallen offenbar Raumladungseffekte eine weitere Verringerung der Durchschlagsfeldstärke verursachen müssen. In jüngster Zeit wurden von WILLIAMS [15] Meßergebnisse publiziert, die diese Annahme bestätigen. WILLIAMS erhielt als Durchschlagsfeldstärken für CdS-Kristalle $1{,}8 \cdot 10^6$ V/cm.

Wir möchten an dieser Stelle Herrn Dipl.-Phys. H. BERGER für anregende Diskussionen und wertvolle Hinweise besonders hinsichtlich der Herstellung geeigneter Aufdampfschichten danken.

Literatur

[1] K. W. BÖER, U. KÜMMEL und R. ROMPE, Z. Phys. Chem. **200**, 180 (1952).
[2] K. W. BÖER und U. KÜMMEL, Ann. Phys. **14**, 341 (1954).
[3] K. W. BÖER und U. KÜMMEL, Ann. Phys. **16**, 181 (1955).
[4] K. W. BÖER, U. KÜMMEL und G. KSOLL, Z. Phys. Chem. **210**, 128 (1959).
[5] K. W. BÖER, H.-J. HÄNSCH und U. KÜMMEL, Z. Phys. **155**, 170 (1959).
[6] K. W. BÖER und U. KÜMMEL, Z. Phys. Chem. **214**, 127 (1960).
[7] K. W. BÖER und U. KÜMMEL, Z. Angew. Phys. **12**, 241 (1960).
[8] K. W. BÖER und U. KÜMMEL, Elektrie **14**, 148 (1960).
[9] K. W. BÖER, H.-J. HÄNSCH, U. KÜMMEL, H. LANGE und E. NEBAUER, phys. stat. sol. **1**, 169 (1961).

---

[3]) Bei diesen stark gestörten Schichten mit relativ zu Einkristallen hoher Dunkelleitfähigkeit ist dieser Wert nicht unplausibel vgl. [14]).

[10] K. W. Böer und U. Kümmel, phys. stat. sol. **1**, 730 (1961).
[11] H. Mayer, Physik dünner Schichten Bd. I und II, Verlagsgesellschaft mbH, Stuttgart 1955.
[12] W. Franz, Handbuch der Physik (Flügge) Bd. XVII, Springer-Verlag 1956 (S. 244).
S. Whitehead, Dielectric Breakdown of Solids, Clarendon Press, Oxford 1953 (S. 83).
[13] K. W. Böer und U. Kümmel, Z. Naturforsch. **9a**, 267 (1954).
[14] H. Berger, phys. stat. sol. **1**, 739 (1961).
[15] R. Williams, Phys. Rev. **123**, 1645 (1961).
[16] Y. T. Sihoonen und D.R. Boyd, J. appl. Phys. **29**, 1143 (1958).
[17] K. W. Böer, Proceedings of the International Conference on Semiconductor Physics Prague 1960, 828.

(Received November 7, 1961)

Zentralinstitut für Kernphysik, Bereich Werkstoffe und Festkörper, Rossendorf

Fokussierungsbedingung für elastische Atomstöße in Graphit

Von

M. Balarin

Die Fokussierungsbedingung für elastische Atomstöße in Graphit wird abgeleitet. Die Fokussierung ist nur innerhalb der Schichtebenen in der ⟨A⟩-Richtung (⟨11$\bar{2}$0⟩) möglich. Der kleinste Stoßdurchmesser eines Kohlenstoffatoms, bei dem die Fokussierung einsetzen kann, beträgt $D_{gr} = 2\,a/3$ ($a = 1{,}42$ Å — Atomabstand). Es wird abgeschätzt, unter welchen Bedingungen auch bei nichtachsennahen Stößen die Öffnungswinkel und die Impulsdichte fokussiert werden. Im Unterschied zu den kubisch-flächenzentrierten Metallen ist im Graphitschichtgitter die indirekte Fokussierung bedeutungslos. Der Energieschwellenwert für die Fokussierung liegt in der Größenordnung einiger 10 eV.

Выводится условие фокусировки для упругих столкновений атомов в графите. Фокусировка возможна лишь внутри слоев решетки в направлениях (⟨11$\bar{2}$0⟩). Наименьший диаметр атома углерода, при котором фокусировка может начаться, равен $D_{gr} = 2\,a/3$ ($a = 1{,}42$ Å — атомное расстояние). Приводится оценка условий фокусировки углов и плотности импульса при неосевых столкновениях. В отличие от гранецентрировнных кубических кристаллов посредственная фокусировка в слоистой решетке графита несущественна. Значение пороговой энергии для фокусировки порядка нескольких 10 эв.

Durch die Einwirkung von Strahlung auf Festkörper können der Gitteraufbau gestört und die Eigenschaften dieser Stoffe verändert werden. Korpuskularstrahlen wirken unter anderem dadurch, daß sie durch elastische Stöße Atome aus ihren Gitterlagen herausschlagen. Über die Anzahl solcher ausgelagerten Atome und über die sich im Ergebnis bildenden Defektarten gibt es bereits eine große Zahl zusammenfassender Arbeiten [1]. Neuere Originalarbeiten befassen sich vor allem mit einer genaueren Überprüfung der Kaskadentheorie, nach der die eingestrahlte Energie auf Primär- und Sekundäratome usw. kaskadenartig aufgespalten wird [2 bis 5]. Dabei wurde von Leibfried [6] folgender von Paneth [7] und Silsbee [8] geäußerter Gedanke wieder aufgegriffen: Auf Grund der periodischen Anordnung der Gitteratome verlaufen aufeinanderfolgende Stöße von Atomen nicht mehr vollkommen unabhängig voneinander und die Korrelation zwischen solchen aufeinanderfolgenden Stößen kann dazu führen, daß ein gewisser Energieanteil kristallrichtungsabhängig übertragen werden kann.

Primär kann ein Gitteratom durch ein ungeladenes Neutron, ein Ion oder durch ein Elektron Energie erhalten haben. Auch kann bei Kernreaktionen eine ausreichende Energiemenge als kinetische Rückstoßenergie eines Atoms frei werden. Ein solches Primäratom besitzt eine bestimmte mittlere freie Weglänge bzw. einen bestimmten Querschnitt für die elastische Wechselwirkung mit anderen Atomen. Qualitativ ist bekannt, daß mit abnehmender Energie die mittlere freie Weglänge geringer bzw. der Querschnitt größer wird. Es gibt dabei einen Energieschwellenwert, bei dem das Atom gerade eine freie Weglänge von einem Atomabstand hat. Dieser Schwellenwert liegt in der Größenordnung von 10 bis 100 eV. In diesem Energiebereich können die Atome als ungebundene selbständige Teilchen und speziell als harte Kugeln betrachtet werden. Ein einmal in Bewegung gesetztes Atom stößt das unmittelbar benachbarte Atom usw. So wird der Stoß innerhalb einer dichtgepackten Atomreihe fortgepflanzt. Energie und Impuls werden dabei in dieser Reihe konzentriert übertragen und Atome benachbarter Reihen werden durch die jeweils reflektierten Atome nur geringfügig zu zusätzlichen Gitterschwingungen angeregt. Diese konzentrierten Stoßfolgen kann man auch als Bewegung eines Quasiteilchens betrachten, für das die Bezeichnung „Fokuson" oder „dynamisches Crowdion" bereits verwendet wurden. Da bei jedem Stoßakt eines Fokusons nur geringe Energieverluste entstehen, besitzt es eine große Reichweite bis zu einigen 100 Å. Auf diesem Weg erfolgen viele Platzwechselvorgänge. Erreicht ein Fokuson die Oberfläche, so wird das letzte Atom der Reihe aus dem Kristall herausgeschossen. An anderen gestörten Stellen, z. B. an Versetzungslinien, ist eine bevorzugte Möglichkeit zur Bildung von Vakanzen und/oder Zwischengitteratomen gegeben.

Experimentell wurden fokussierende Stöße bereits beim Ionenbeschuß von Festkörpern nachgewiesen, und zwar sowohl bei Rückstrahlverfahren als auch bei Durchstrahlungsversuchen an dünnen Folien. Die herausgeschlagenen Atome fliegen dabei in Richtungen, die Verlängerungen dichtgepackter Atomreihen sind [9 bis 13]. Dabei wurde festgestellt, daß die Intensität nicht einem cos-Gesetz folgt, sondern enger auf die bevorzugten Richtungen konzentriert ist [14]. Indirekt konnte das Auftreten fokussierender Stöße außerdem dadurch gezeigt werden, daß im Rückstrahl die Zerstäubungsrate beim Ionenbeschuß von Einkristallen dann Minima aufweist, wenn die Beschußrichtung mit der Richtung dichtgepackter Atomreihen zusammenfällt [15], d. h. ein großer Anteil der Energie in das Kristallinnere transportiert wird. Bei den gleichen ausgezeichneten Beschußrichtungen wurden außerdem sogar Minima der Sekundärelektronenemission festgestellt.

In der vorliegenden Arbeit wird das Auftreten von fokussierenden Stößen in Graphit behandelt. Dazu muß auf einige Besonderheiten des Graphits hingewiesen werden. Bisher wurden fokussierende Stöße nur für kubisch-flächenzentrierte Kristalle [6, 13, 16, 17] sowie für Uran [18] theoretisch behandelt, bei denen zwischen den benachbarten Atomen aller dichtgepackten Reihen gleichgroße Abstände vorliegen. Beim Graphit treten in einigen bestimmten Richtungen auch verschieden große Abstände auf. Graphit hat ein hexagonales Schichtgitter, so daß es eine geringere Anzahl von dichtgepackten Atomreihen gibt. Das c/a-Verhältnis ist so groß, daß eine Fokussierung in der c-Richtung unmöglich wird.

In allen bisherigen Arbeiten wurden die Fokussierungsbedingungen ausschließlich für achsennahe Stöße angegeben. Hier soll auch die Fokussierung nichtachsennaher Stöße abgeschätzt werden. Die Fokussierungsbedingung wurde außerdem meist als energetische Bedingung angegeben, ohne die Richtigkeit oder Genauigkeit der benutzten Abstoßungspotentiale zu analysieren. Da für Graphit das Abstoßungspotential nur sehr unzuverlässig bekannt ist, werden hier die Betrachtungen im wesentlichen auf die geometrischen Fokussierungsbedingungen beschränkt.

Kohlenstoff ist bisher nur an einer Stelle im Zusammenhang mit fokussierenden Stößen erwähnt worden [19]. Dort wird gesagt, daß für Materialien, wie Beryllium, Graphit und die Alkalimetalle Fokussierungseffekte unbedeutend seien, da die Ionenrümpfe (ion cores) der leichten Elemente zu klein wären (um der gewöhnlichen Fokussierungsbedingung $D \geq S/2$ zu genügen). Dem werden die Übergangsmetalle und die sogenannten „vollen" Metalle (kubisch-flächenzentrierte Metalle) gegenübergestellt, in denen den Fokussierungseffekten Bedeutung beigemessen wird.

I. Direkte Fokussierung

1. Fokussierungsrichtung

Die einzelnen Schichten des Graphitgitters können als unabhängige zweidimensionale Kristalle betrachtet werden (Fig. 1). Es spielt hierbei keine Rolle, daß die

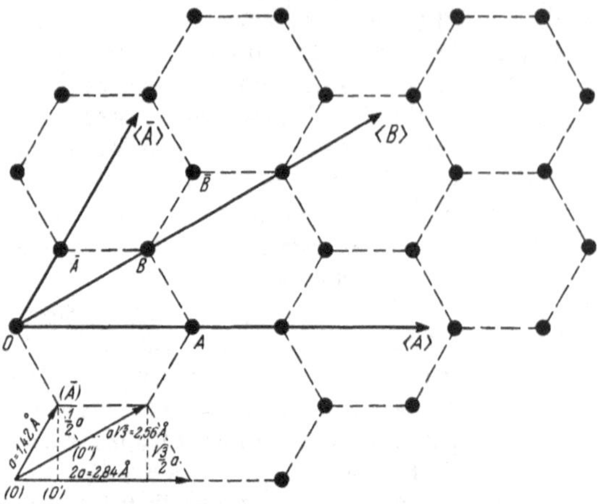

Fig. 1. Stoßrichtungen in einer Graphitschichtebene

● — Gitterplätze,
0 — Primäratom

verschiedenen Schichten des Graphits in unterschiedlicher Folge übereinanderliegen können, in ABAB-, ABCA- oder turbostratischer Folge. Ausgehend von einem Primäratom 0 braucht man aus Symmetriegründen nur einen Winkelausschnitt von 60° herauszugreifen, da der Graphit in jedem Gitterknotenpunkt eine dreizählige Symmetrieachse und außerdem eine Spiegelungsachse in der Schichtebene besitzt, z. B. 0A. Das Primäratom 0 kann eines der Atome A, B oder Ā stoßen. Der Stoß an Ā führt seinerseits wieder zu den gleichen Möglichkeiten.

Zwischen den fokussierenden Stößen in den ⟨A⟩- und ⟨Ā⟩-Richtungen gibt es keinen prinzipiellen Unterschied; es folgen in einer Stoßperiode jeweils ein doppelter und ein einfacher Abstand der Atome aufeinander. In der ⟨B⟩-Richtung dagegen haben alle Atome den gleichen Abstand.

Zwischen dem Winkel φ zwischen der Bewegungsrichtung des Primäratoms und der Achse und dem entsprechenden Winkel φ' für das Sekundäratom besteht folgende geometrische Beziehung (Fig. 2)

$$\frac{\sin \varphi'}{\sin \varphi} = \left(\frac{S}{D} - \cos \varphi'\right) \cdot \frac{1}{\cos \varphi}\,. \tag{1}$$

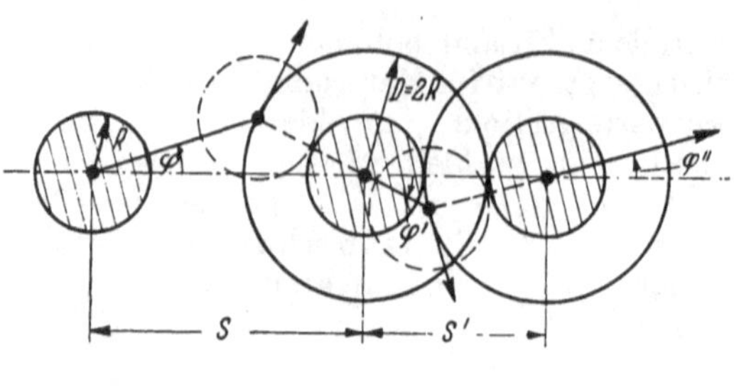

Fig. 2. Darstellung zur Ableitung der Winkelbeziehungen bei korrelativen Stößen. $D = 2\,R$ — minimaler Abstand im Stoßmoment

(S — normaler Atomabstand im Gitter vor dem Stoß; $D = 2\,R$ — Harte-Kugel-Durchmesser oder Abstand der HK-Zentren im Stoßmoment). Für einige Rechnungen sind folgende umgeformte Gleichungen besser geeignet

$$\operatorname{tg}\varphi = \frac{\sin\varphi'}{\frac{S}{D} - \cos\varphi'}, \tag{1'}$$

$$\sin(\varphi + \varphi') = \frac{S}{D}\cdot\sin\varphi. \tag{1''}$$

Ist φ' kleiner als φ, so ist der Stoß fokussierend. Sind bei aufeinanderfolgenden Stößen, wie in der Richtung $\langle A\rangle$ die Abstände S und S' nicht gleich groß, so ist nach einer Stoßperiode der Winkel φ'' mit dem Ausgangswinkel φ zu vergleichen. An Stelle der Gleichung (1) gilt dafür

$$\Lambda(\varphi) \equiv \frac{\sin\varphi''}{\sin\varphi} = \left(\frac{S'}{D} - \cos\varphi''\right)\left(\frac{S}{D} - \cos\varphi'\right)\cdot\frac{1}{\cos\varphi'\cdot\cos\varphi}. \tag{2}$$

Eine Stoßfolge wird hier fokussiert, wenn $\varphi'' \leq \varphi$, d. h. wenn der Fokussierungsparameter $\Lambda(\varphi) \leq 1$ ist. φ' darf dabei auch größer als φ sein. Innerhalb der Stoßperiode muß die defokussierende Wirkung des ersten Stoßes durch die fokussierende Wirkung des zweiten Stoßes kompensiert werden.

Aus den Gleichungen (1) bzw. (2) erhält man einen Grenzwert für D, bei dem bei vorgegebenem S und φ Fokussierung eintritt. So folgt aus Formel (1'')

$$D_f \geq \frac{S}{2}\cdot\frac{2\sin\varphi}{\sin(\varphi + \varphi')}. \tag{3}$$

Da bei $0 < \varphi' \leq \varphi$ $2\sin\varphi > \sin(\varphi + \varphi')$ ist, folgt, daß der Minimalwert der unteren Grenze für sehr kleine Winkel ($\varphi, \varphi' \to 0$), d. h. für achsennahe Stöße erhalten wird,

$$D_{f_{\min}} = \frac{S}{2}. \tag{4}$$

Für die Richtung $\langle B\rangle$ wäre damit $D_{f_{\min}}(\langle B\rangle) = \sqrt{3}\,a/2$. Das ist aber größer als der kleinste Abstand der Geraden OB zum Atom $\bar{A}$ ($|\bar{A}O''| = a/2$ in Fig. 1) und das bedeutet, daß das Atom O nicht mehr in der Richtung $\langle B\rangle$ fliegen kann, ohne $\bar{A}$ zu stoßen. In $\langle B\rangle$ sind also keine fokussierenden Stöße möglich. Ein Einzelstoß von O an B ist dagegen möglich. Wie später noch gezeigt werden wird, führt dieser zu normalen fokussierenden Stößen in der einzig möglichen Fokussierungsrichtung $\langle A\rangle$ (bzw. $\langle B\bar{B}\rangle \equiv \langle\bar{A}\rangle$). In Richtung der c-Achse ist eine Fokussierung aus dem gleichen Grund unmöglich. Wegen $c/2 = 3{,}34$ Å wäre $D_{f_{\min}}(\langle c\rangle) = 1{,}175\,a > a$.

Als Fokussierungsbedingung ($\varphi'' < \varphi$) in Richtung $\langle A\rangle$ folgt aus Gleichung (2)

$$D_f(\langle A\rangle) \geq \frac{2\,a}{\cos\varphi' + 2\cos\varphi''} \tag{5}$$

und daraus für achsennahe Stöße die minimale untere Grenze D_{gr}

$$D_{gr} \equiv D_{f_{\min}}(\langle A\rangle) = \frac{2\,a}{3}. \tag{6}$$

Für die $\langle\bar{A}\rangle$-Richtung gilt entsprechend

$$D_f(\langle\bar{A}\rangle) \geq \frac{2\,a}{2\cos\varphi' + \cos\varphi''} \tag{5'}$$

und im Grenzfall für achsennahe Stöße

$$D_{f_{\min}}(\langle \bar{A} \rangle) = D_{f_{\min}}(\langle A \rangle) \equiv D_{gr}\,. \tag{7}$$

Aus Gleichung (5) bzw. (5′) ist zu ersehen, daß für nichtachsennahe Stöße D_f etwas größer ist als D_{gr}, d. h. daß Fokusonen in diesen Richtungen nur bei etwas geringerer Energie auftreten können (siehe Abschnitt I.3). Zusammenfassend kann gesagt werden, daß in Graphit fokussierende Stöße auftreten können und zwar in der Richtung ⟨A⟩ (bzw. $\langle \bar{A} \rangle$). Als Fokussierungsbedingung ergibt sich, daß D größer sein muß als $D_{gr} = 2\,a/3$.

2. *Fokussierungswinkel*

Für die weitere Behandlung nichtachsennaher Stöße, der fokussierten Impulsdichte und der Wahrscheinlichkeit des Auftretens fokussierender Stoßketten muß man die Größe der auftretenden Winkel kennen. Für den Grenzfall $D = D_{gr}$ sind einige Grenzwinkel für die ersten und zweiten Stöße an den Atomen A, B und $\bar{A}$ in der folgenden Tabelle enthalten. Die Indizierung stimmt mit der in Fig. 3 überein. Die Buchstaben geben die Bezugsrichtung für die einzelnen Winkel an.

	Stoß an A $S = 2a;\ S' = a$	Stoß an B $S = 3a;\ S' = a$	Stoß an $\bar{A}$ $S = a;\ S' = 2\,a$
$\varphi_0 = 0°$	$\varphi_0 = 0°;\ \varphi_0' = 0°$ $\varphi_0'' = 0°$		
$\varphi_1 = 8°\,48'$	$\varphi_1;\ \varphi_1' = 18°\,31'$ $\varphi_1'' = 9°\,57'$	$\varphi_{1\,B} = 21°\,12'$ $\varphi'_{1\,B\bar{B}} = 18°\,31'$ $\varphi''_{1\,B\bar{B}} = 9°\,57'$	
$\varphi_2 = 18°\,12'$		$\varphi_{2\,B} = 11°\,48'$ $\varphi'_{2\,B\bar{B}} = -\ 9°\,43'$ $\varphi''_{2\,B\bar{B}} = -\ 4°\,53'$	$\varphi_{2\,\bar{A}} = 41°\,48'$ $\varphi'_{2\,\bar{A}} = 48°\,12'$
$\varphi_3 = 18°\,24'$			$\varphi_{3\,\bar{A}} = 41°\,36'$ $\varphi'_{3\,\bar{A}} = 60° - \varphi_{5\,\bar{A}} = 43°\,21'$ $\varphi''_{3\,\bar{A}} = \varphi_1$
$\varphi_4 = 30°\,24'$			$\varphi_{4\,\bar{A}} = 29°\,36'$ $\varphi'_{4\,\bar{A}} = \varphi_2$
$\varphi_5 = 43°\,21'$			$\varphi_{5\,\bar{A}} = 16°\,39'$ $\varphi'_{5\,\bar{A}} = \varphi_1$
$\varphi_6 = 60°$			$\varphi_{6\,\bar{A}} = 0°$ $\varphi'_{6\,\bar{A}} = \varphi''_{6\,\bar{A}} = 0°$

In dieser Aufstellung ist nicht berücksichtigt, daß in Wirklichkeit mit jedem Stoß infolge eines teilweisen Energieverlustes des Fokusons der effektive Radius der Atome und damit D größer wird. Infolgedessen sind in Wirklichkeit die Winkel nach den zweiten Stößen kleiner als in der Tabelle angegeben. Man beachte, daß

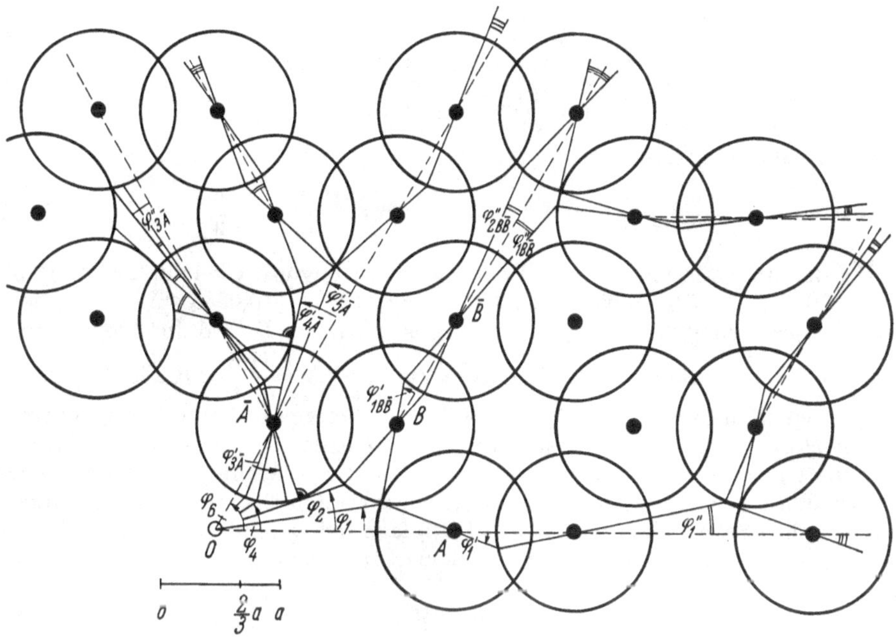

Fig. 3. Grenzwinkel und die Herausbildung der Fokussierungsrichtungen bei $D = D_{gr}$ für Startwinkel im Bereich $\sphericalangle \bar{A}OA$

φ_1'' geringfügig größer ist als φ_1 und deshalb auch $\varphi_{5\bar{A}}'' = \varphi_1'$ größer als $\varphi_{5\bar{A}}$. $\varphi_{1B\bar{B}}'$ ist zufällig gleich φ_1'.

Alle Stöße für $0° \leq \varphi \leq 60°$ führen entweder sofort zu fokussierenden Stoßketten, wie für φ zwischen $0° \ldots \varphi_1, \varphi_1 \ldots \varphi_2$ und $\varphi_5 \ldots \varphi_6$ oder aber im Ergebnis der nächsten Stöße wie beispielsweise für φ zwischen $\varphi_4 \ldots \varphi_5$.

Der Stoß an B ergibt also eine strenge Fokussierung in Richtung $\langle B\bar{B}\rangle$, die sich physikalisch nicht von der Richtung $\langle \bar{A}\rangle$ bzw. $\langle A\rangle$ unterscheidet.

3. *Fokussierung nichtachsennaher Stöße*

Bereits aus Gleichung (2) war zu ersehen, daß bei endlichen Winkeln (φ, φ' und $\varphi'' \neq 0$) Fokussierung auftreten kann, wenn nur D genügend groß ist. Anstelle der Bedingung $\Lambda \leq 1$ d. h. $\varphi'' \leq \varphi$ erhält man nach einfacher Umformung

$$\sin(\varphi'' - \varphi) = \frac{a \cdot \sin\varphi}{D \cdot \cos\varphi'}\left(\frac{2a}{D} - \cos\varphi'' - 2\cos\varphi'\right) \leq 0\,. \tag{8}$$

Zur Erfüllung dieser Bedingung muß der Ausdruck in der Klammer negativ werden. Um den Betrag zu bestimmen, um den D bei vorgegebenem Winkel mindestens größer als D_{gr} sein muß, wird angesetzt:

$$D = D_{gr} + \Delta \cdot a = \left(\frac{2}{3} + \Delta\right) \cdot a\,. \tag{9}$$

Dementsprechend nimmt (8) die Form an

$$\frac{\sin\varphi}{\left(\frac{2}{3} + \Delta\right)^2 \cos\varphi'}\left\{-3\,\Delta + \left(\frac{2}{3} + \Delta\right) \cdot [(1 - \cos\varphi'') + 2\,(1 - \cos\varphi')]\right\} \leq 0\,. \tag{10}$$

Diese Ungleichheit ist erfüllt, wenn

$$\Delta \geq \frac{2}{9} \cdot \frac{(1 - \cos \varphi'') + 2\,(1 - \cos \varphi')}{1 - \frac{1}{3}(1 - \cos \varphi'') - \frac{2}{3}(1 - \cos \varphi')} \tag{11}$$

ist oder näherungsweise

$$\Delta \geq \frac{1}{9}(\varphi''^2 + 2\,\varphi'^2) \qquad \text{für} \qquad \Delta \ll \frac{2}{3}. \tag{12}$$

Bei der Fokussierung in ⟨A⟩-Richtung ist im ungünstigsten Fall $\varphi' \simeq 18{,}5°$; $\varphi'' \simeq 10°$ und dafür müßte nach Gleichung (12) $\Delta \geq 0{,}0265 \simeq 4\% \cdot D_{gr}$ sein. Eine Vergrößerung des D um 4% von D_{gr} ist zulässig. D wird durch den geringsten Abstand der Reihe zu den Nachbaratomen $\left(|O'\bar{A}| = \frac{\sqrt{3}}{2}\,a \text{ in Fig. 1}\right)$ begrenzt und daher könnte maximal $\Delta_{max} \simeq 30\% \cdot D_{gr}$ betragen. Beim Anwachsen von D auf $D_{max} = D_{gr} + \Delta_{max} \cdot a$ ist ein weiterer Massen- und fokussierter Energietransport nicht mehr möglich. Ehe eine solch starke Abbremsung aber erreicht ist, werden von einer durch Gleichung (12) bestimmten Energie an auch die nichtachsennahen Stöße fokussiert. Formel (12) läßt sich vereinfachen. Da bei Fokussierung $\varphi'' \simeq \varphi$ und $\varphi' \simeq 2\,\varphi$ ist, erhält man für einen beliebigen fixierten Ausgangswinkel $\varphi = \tilde{\varphi}$

$$\Delta \geq \tilde{\varphi}^2. \tag{13}$$

4. *Fokussierte Impulsdichte*

Aus der Verringerung der aufeinanderfolgenden Winkel in der Reihenfolge φ, φ'' usw. kann noch nicht geschlossen werden, daß die Energie- oder die Impulsdichte des Fokusons bezogen auf ein Winkelelement $d\varphi$ größer wird, da dem entgegensteht, daß bei jedem einzelnen Stoß ein, wenn auch geringer Energieverlust auftritt. Als Impulsdichte soll $I/d\varphi$ betrachtet werden. Es gilt

$$I' = I \cdot \cos(\varphi + \varphi') \tag{14}$$

und

$$d\varphi' = d\varphi \cdot \frac{\sin \varphi'}{\sin \varphi \cdot \cos(\varphi + \varphi')}. \tag{15}$$

Als Impulsfokussierungsparameter erhält man

$$\Lambda(I) = \frac{I''}{d\varphi''} \Big/ \frac{I'}{d\varphi} = \frac{\cos^2(\varphi + \varphi') \cdot \cos^2(\varphi' + \varphi'')}{\Lambda(\varphi)}. \tag{16}$$

Bei Impulsfokusiserung ist $\Lambda(I) \geq 1$. Für $\varphi = 0$ ist $\Lambda(I) = 1$ wegen $\Lambda(\varphi) = 1$. Damit aber auch bei $\varphi \neq 0$ Impulsfokussierung auftreten kann, muß eine starke Winkelfokussierung $\Lambda(\varphi) < \cos^2(\varphi + \varphi') \cdot \cos^2(\varphi' + \varphi'') < 1$ vorhanden sein, d. h. der dazu notwendige Durchmesser D muß größer sein als der Durchmesser, der beim gleichen Ausgangswinkel φ für nichtachsennahe Stöße Winkelfokussierung ergibt (bei der im Grenzfall $\Lambda(\varphi) = 1$ ist). Diese Winkelfokussierung pro Stoßperiode muß die Energieverluste kompensieren.

Ähnlich wie in Abschnitt I.3 kann man ansetzen, daß der Grenzdurchmesser für die Impulsfokussierung $D_f(I)$ größer als D_{gr} ist,

$$D_f(I) = D_{gr} + \Delta(I) \cdot a. \tag{17}$$

Damit erhält man anstelle von $\Delta(I) \geq 1$ die Ungleichung

$$\frac{\cos^2(\varphi+\varphi')\cdot\cos^2(\varphi'+\varphi'')\cdot\cos\varphi\cdot\cos\varphi'}{\left(\frac{1}{\frac{2}{3}+\Delta}\right)^2[-3\,\Delta(I)+(1-\cos\varphi'')+2\,(1-\cos\varphi')]+\cos\varphi'\cdot\cos\varphi''} \geq 1\,. \tag{18}$$

Näherungsweise ergibt sich daraus bei den auch früher gemachten Vernachlässigungen $\varphi'' \simeq \varphi$, $\varphi' \simeq 2\,\varphi$ und $\Delta \ll 2/3$ für einen beliebigen Ausgangswinkel $\varphi = \tilde{\varphi}$

$$\Delta(I) \geq \frac{7}{6}\tilde{\varphi}^2 = 1{,}17\,\tilde{\varphi}^2\,. \tag{19}$$

Für die Energiefokussierung gilt die gleiche minimale Grenzbedingung, wie für die Impulsfokussierung. Genau genommen müßte die Impulsdichte auf das Raumwinkelelement bezogen werden. Dieses wird für kleine φ schneller klein als das benutzte Winkelelement $d\varphi$. Demzufolge ist garantiert, daß bei Erfüllung der Bedingung (19) die Impulsdichte auf alle Fälle größer wird, d. h. die Energie- und die Impulsübertragung werden immer stärker in Richtung der Atomreihe konzentriert. Das Fokuson verläuft auch immer geradliniger und hat absolut immer geringere Energieverluste pro Stoßperiode.

II. Wahrscheinlichkeit der Bildung von Fokusonen

1. Stöße, die aus der Schichtebene herausführen

Die Fokussierung erfolgt in bezug auf eine dichtgepackte Atomreihe und nicht in bezug auf eine Schichtebene. Daher sind die Auslenkwinkel, die aus der Schichtebene herausführen, genau so auf die Atomreihe zu beziehen, wie die Winkel in der Ebene. Ein einmal gebildetes Fokuson läuft durch diese Reihe bis zur vollständigen Abbremsung. Die bei den einzelnen Stoßakten reflektierten Atome besitzen in der Regel nicht mehr genügend Energie, um weitere Gitterstörungen zu erzeugen. Lediglich im Anfangsstadium kann ein Fokuson jeweils noch in zwei Fokusonen aufspalten (vergleiche Fig. 3). Vor Einsetzen der Fokussierung erfolgen alle Stöße unabhängig voneinander und daher auch nicht in den Gitterrichtungen orientiert. Im Massenschwerpunktsystem erfolgt jeder dieser unabhängigen Stöße gleichschwerer Kugeln isotrop. Im Laborsystem fliegen die Stoßpartner in Vorwärtsrichtung senkrecht zueinander fort. Um die Wahrscheinlichkeit für die Bildung von Fokusonen abzuschätzen, wird angenommen, daß nach Erreichen des Grenzfokussierungsdurchmessers D_{gr} infolge Abbremsung der erste Stoß an einem Atom O noch isotrop erfolgt. Die gesuchte Wahrscheinlichkeit ist dann gleich dem Raumwinkelanteil Ω_f, in dem es zu Stößen an A, B oder $\bar{\text{A}}$ kommt. Als untere Grenze erhält man für diesen Raumwinkelanteil

$$\frac{1}{4\pi}\Omega_f = \frac{1}{4\pi}(3\,\Omega_A + 6\,\Omega_B + 3\,\Omega_{\bar{A}}) \simeq 9{,}6\%\,, \tag{20}$$

mit

$$\left.\begin{aligned} \Omega_A &= \int_0^{2\pi}\int_0^{\varphi_1} \sin\varphi\,d\varphi\,dO = 2\,\pi\cdot 0{,}012\,,\\ \Omega_B &= \int_0^{2\pi}\int_0^{\sim 5^\circ 30'} d\Omega = 2\,\pi\cdot 0{,}005\,,\\ \Omega_{\bar{A}} &= \int_0^{2\pi}\int_0^{\varphi_{5\bar{A}}} \sin\varphi\,d\varphi\,dO = 2\,\pi\cdot 0{,}042\,. \end{aligned}\right\} \tag{21}$$

Obwohl in $\Omega_{\bar{A}}$ nur der Teil berücksichtigt ist, der direkt fokussiert wird ($\varphi'_{5\bar{A}} = \varphi_1$), überwiegt dieser Teil am Gesamtanteil $\Omega_f/4\pi$.

Wenn also etwa 10% der noch isotrop gestoßenen Primäratome direkt zur Bildung von Fokusonen führen (bei $D = D_{gr}$), so bedeutet das, daß etwa bei jedem fünften isotropen Stoßakt ein Fokuson unmittelbar gebildet wird. Die übrigen gestoßenen und reflektierten Atome fliegen nochmals aus der Schichtebene heraus, in welcher der Stoß erfolgte und führen zu einem weiteren noch isotropen Stoßakt in einer anderen Schichtebene des Gitter. In Graphit können folglich ausreichend viel Fokusonen gebildet werden, auch wenn bei der Ableitung der speziellen Fokussierungsbedingung weder berücksichtigt noch gefordert wurde, daß der Beschuß mit schweren Teilchen oder die Bewegung der Primäratome auch in anderen außerhalb der Schichtebenen liegenden Richtungen erfolgen können.

2. *Indirekte Fokussierung*

Auch wenn die Fokussierungsbedingung noch nicht erfüllt ist, da die Energie noch zu hoch ist, können gewisse Fokussierungseffekte auftreten. Durch Reflektion an Nachbaratomen wird unter Umständen das gestoßene Atom in die Richtung der Atomreihe zurückorientiert. Die beteiligten Nachbaratome müssen in dichter Anordnung möglichst nahe an der betreffenden Atomreihe gelagert sein und diese allseitig einhüllen. Von M. W. Thompson und R. S. Nelson [13] wurde gezeigt, daß in kubisch-flächenzentrierten Metallen eine solche indirekte Fokusierrung zum Beispiel in der ⟨111⟩-Richtung auftreten kann, bei Energien, die bis zu einer Größenordnung höher sind als die Energien, die normalerweise in ⟨110⟩-Richtung fokussiert werden. Bei solchen indirekten Fokussierungen treten viele Platzwechselstöße auf. Bei indirekter Fokussierung erfolgt bei jedem Stoß eine starke Energieabgabe. Die indirekte Fokussierung kann nach entsprechender Abbremsung in die normale direkte Fokussierung übergehen. Die direkte Fokussierung kann eine andere bevorzugte Richtung haben, wie bereits für kubisch-flächenzentrierte Metalle angegeben wurde: indirekt — ⟨111⟩ → direkt — ⟨110⟩.

In Graphit werden indirekte Fokussierungsstöße nicht die gleiche Bedeutung haben wie in den kubisch-flächenzentrierten Kristallen. Richtungen, in denen indirekt fokussiert werden könnte, könnten nur die bereits betrachteten Richtungen ⟨A⟩ und ⟨B⟩ sein. Diese liegen in der Schichtebene und für sie gibt es keine genügend nahen benachbarten Atome außerhalb der Schichtebene (man beachte, daß $c/2$ sogar noch größer als $2\,a$ ist), die die Abweichungen aus der Schichtebene heraus korrigieren könnten. Für die ⟨B⟩-Richtung gibt es außerdem auch innerhalb der Schichtebene nur einseitig benachbarte Atome.

Bei direkter Fokussierung bewegen sich die Stoßpartner vor und nach dem Stoß in einer Ebene, und zwar auch bei Stößen, die aus der Schichtebene herausführen. Für die Atome einer indirekt fokussierten Atomreihe ist das infolge der Beteiligung der Nachbaratome nicht mehr der Fall, d. h. auch die indirekte Fokussierung, die anfänglich genau in der Schichtebene erfolgen würde, wäre aus diesem Grund nicht stabil, sondern höchstens labil. Deshalb ist in Graphit nur die direkte Fokussierung wirksam.

III. Einige energetische Angaben über Atomstöße in Graphit

Die bisherigen geometrischen Überlegungen sollen noch durch einige energetische Daten ergänzt werden. Zu Anfang wurde bereits ausgeführt, daß die Fokussierung von Harte-Kugel-Stößen bei Energien von 10 bis 100 eV einsetzt. Die stoßenden Atome kommen sich um ein Mehrfaches näher als sonst im Gitter und zwar bis zu einem Abstand D, bei dem ihre potentielle Wechselwirkungsenergie V gleich der Hälfte der kinetischen Energie E ist ($V(D) = E/2$). Es nimmt in diesem Energiebereich vor allem der abstoßende Teil des Potentials an Bedeutung zu. Für diesen Energie- und Abstandsbereich gibt es noch keine Möglichkeit, die einzelnen Potentialanteile experimentell zu ermitteln. Es muß daher aus Daten extrapoliert werden, die entweder aus statischen und dynamischen elastischen Eigenschaften bestimmt werden, also bei einem Abstand der Größenordnung a und der Energie $k\,T$ ($\sim 0{,}03$ eV bei Raumtemperatur) oder aus Daten der Wechselwirkung hochenergetischer Atome und damit geringerer Abstände ($< 0{,}1$ Å). Für den Abstoßungsteil kommen für die erstgenannte Art Potentialansätze nach Born-Mayer und Morse infrage, für die zweite Art Bohr-Potentiale. Dazwischen liegend sind Thomas-Fermi- und Thomas-Fermi-Dirac-Potentiale einzuordnen.

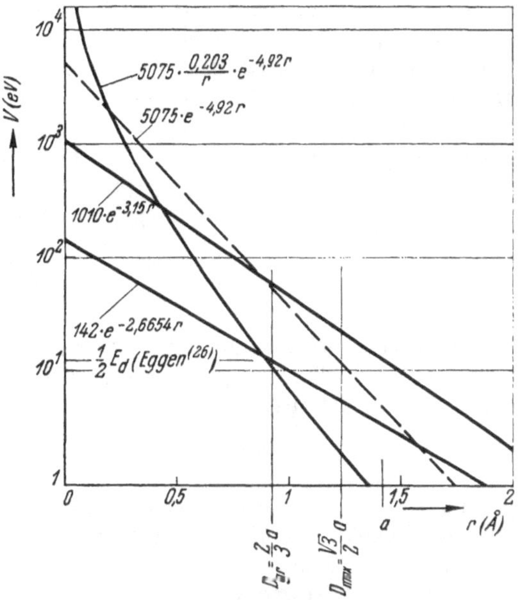

Fig. 4. Wechselwirkungspotentiale für Kohlenstoffatome (Erläuterung im Text). Fokussierungsbereich $D_{gr} < r < D_{max}$

Für Kohlenstoffatome in Graphit kann ein Born-Mayer-Potential nach entsprechenden Daten von Dienes [20] angegeben werden (Fig. 4)

$$V = A \cdot \exp(-\alpha\, r)\,, \tag{22}$$

$$V\,[\mathrm{eV}] = 1010 \cdot \exp(-3{,}15\, \mathrm{r}\,[\text{Å}])\,. \tag{22'}$$

Dieselben Daten wurden von Iwata, Fujita und Suzuki [21] anders ausgewertet. Sie benutzten allerdings für den Bereich $2{,}2\,\text{Å} < r < 2{,}95\,\text{Å}$

$$V\,[\mathrm{eV}] = 142 \cdot \exp(-2{,}6654\, r\,[\text{Å}])\,, \tag{23}$$

wobei in diesem Bereich die Übereinstimmung mit (22′) gut ist. Das Bohrsche Potential enthält bekanntlich als Parameter nur die Kernladung. Es soll zum Vergleich angegeben werden

$$V = E_B \cdot \frac{a}{r} \cdot \exp\left(-\frac{1}{a}\, r\right), \quad a = a_0/\sqrt{2}\, Z^{1/3}\,, \quad a_0 = 0{,}529\,\text{Å}\,, \quad E_B = 2\, Z^2\, e^2/a\,, \tag{24}$$

$$V[\mathrm{eV}] = 5075 \cdot \frac{0{,}203}{r\,[\text{Å}]} \cdot \exp(-4.92\, r\,[\text{Å}])\,. \tag{24'}$$

Gibson, Goland, Milgram und Vineyard [16] haben für die entsprechenden Potentialansätze für Kupfer genau so starke Abweichungen in etwa dem gleichen Energiebereich angegeben und damit Stoßprozesse untersucht. Wie in Fig. 4 zu sehen ist, kann in dem Intervall $D_{gr} = 2\,a/3$ bis $D_{max} = \sqrt{3}\,a/2$ der Potentialverlauf nicht genau angegeben werden. Der Energiewert $E_{fok} = 2\; V(D_{gr})$, bei dem die Fokussierung beginnen kann und der Energiebereich, in dem fokussiert wird, liegen in der gleichen Größenordnung wie bei den früher untersuchten kubischflächenzentrierten Kristallen. Wenn auch der Schwellenwert E_{fok} durch den genauen Verlauf des Potentials bestimmt wird, so wird das Auftreten von Fokusonen dadurch nicht beeinträchtigt.

Aus den Potentialen (22) und (24) folgt

$$\frac{dV}{V} = -\alpha r \cdot \frac{dr}{r}, \tag{25}$$

bzw.

$$\frac{dV}{V} = -\frac{a+r}{a} \cdot \frac{dr}{r}. \tag{25'}$$

Das bedeutet, daß in dem betrachteten Bereich die relative Vergrößerung des Stoßradius D kleiner ist als die relative Verringerung der kinetischen Energie E der stoßenden Atome:

$$\frac{dD}{D} < \left|\frac{dE}{E}\right|. \tag{26}$$

Die Faktoren $\alpha \cdot r$ oder $(a + r)/a$ wachsen mit geringer werdender Energie. Für Graphit liegen diese Faktoren im Fokussierungsbereich etwa bei 5 bis 7.

Zu den Potentialen ist noch zu bemerken, daß das Bohrsche Potential für freie Atome gilt, die Atome aber beim Einbau in ein Gittergefüge stark deformiert werden [29]. Unberücksichtigt sind ferner der Ionisationsgrad und die Bindungsverhältnisse, die gerade beim Graphit zu einer starken Anisotropie vieler Eigenschaften führen. Dazu kommt, daß es ihrer Lage nach in bezug auf die benachbarten Schichtebenen ungleiche C-Atome gibt.

Auf das endgültige Resultat der Stoßprozesse soll hier nicht eingegangen werden; es kann auf die Arbeiten [23 bis 25] hingewiesen werden, in denen die verschiedenen Anordnungen der Defekte in Graphit: Vakanzen, Zwischengitteratome, Defektanhäufungen und Versetzungen behandelt sind.

Wegen seiner Bedeutung für den Bau von Graphitreaktoren ist Graphit eines der am vielseitigsten und umfassendsten auf Strahlenresistenz und Strahleneffekte untersuchten Materialien. Folgende Angaben über Energiewerte der Strahlendefekte in Graphit können zur Vervollständigung noch gemacht werden. Mit Hilfe von Leitfähigkeitsmessungen an elektronenbestrahltem Graphit wurde der Schwellenwert für die Auslagerung eines Gitteratoms bestimmt zu $E_d = 24{,}7$ eV ($\pm$ 0,9 eV) [26]. In einer entsprechenden Untersuchung wurde für Diamant (andere Bindungsverhältnisse der Kohlenstoffatome) der hohe Wert $E_d > 80$ eV erhalten [27]. Für Graphit wurden Ausheilstufen bei -100 °C, 200 °C, 1300 °C und über 1600 °C festgestellt [23, 25, 26] und folgendermaßen interpretiert:

— 100 °C — Wanderung von Einzel-Zwischengitteratomen [23]

200 °C — Wanderung von Einzelvakanzen und eventuell von Zwischengitteratom-Anhäufungen, teilweise unter Bildung von Dislokationsdipolen [25]

1300 °C — Diffusionsartiger Austausch zwischen den verschiedenen Schichten [25]

über 1600 °C — endgültige vollständige Ausheilung.

Diese Aufzählung ist selbstverständlich unvollständig.

Schlußbemerkungen und Abgrenzung

Fokussierte Stöße können entgegen früheren Bedenken auch in Graphit auftreten. Die Fokussierung erfolgt innerhalb der Schichtebenen in den dichtgepackten Atomreihen. In diesen Atomreihen wechselt der Abstand der aufeinanderfolgenden Atome periodisch, wobei er abwechselnd gleich dem einfachen Atomabstand ($a = 1{,}42$ Å) und gleich dem doppelten Abstand oder gleich dem Durchmesser des C-Sechseckes ist. Der minimale Durchmesser eines C-Atoms, bei dem Fokussierung einsetzen kann, beträgt $D_{gr} = 2\,a/3$. Ein entsprechender Energiewert konnte nicht angegeben werden, da das Abstoßungspotential nicht genau genug bekannt ist. Er muß in der Größenordnung einiger 10 eV liegen. Es wurde festgestellt, daß auch bei nichtachsennahen Stößen die Öffnungswinkel und die Impulsdichte mit Sicherheit fokussiert werden. Im Unterschied zu den kubisch-flächenzentrierten Kristallen ist im Graphitschichtgitter die indirekte Fokussierung bedeutungslos und folglich sind in Graphit bei etwas höheren Energien noch keine Fokussierungserscheinungen zu erwarten.

Die Anzahl der bei Bestrahlung erzeugten Defekte oder genauer die Zahl der Auslagerungen von Gitteratomen aus ihren normalen Gitterplätzen ist gleich $n = E/5E_d$ (E-Energie des Primäratoms) [3]. Da bei fokussierenden Stößen jedoch effektiv keine zusätzlichen Defekte mehr entstehen, sondern höchstens Platzwechselvorgänge auftreten, müßte man anstelle von E_d den Fokussierungsschwellenwert E_{fok} (bei $E_{fok} > E_d$) einsetzen oder einen Wert der etwas kleiner ist, da von E_{fok} ab noch nicht alle Stöße zu Fokusonen führen. Dadurch würde der theoretische Wert für die Defektkonzentration ($n = E/5E_{fok}$) etwas verringert werden, was die Diskrepanz zwischen den theoretisch und den experimentell ermittelten Defektkonzentrationen weiter abschwächen würde. Es ist möglich, daß die experimentell ermittelten Schwellenwerte für die Defekterzeugung vielfach eigentlich die Schwellenwerte für die Fokussierung sind. Auf eine solche Möglichkeit weist auch die Tatsache hin, daß die experimentell ermittelten Schwellenwerte für Metalle (22 bis 60 eV) durchweg höher sind, als für Halbleiter (6 bis 14,5 eV), die gegenüber Einzeldefekten und Bestrahlung wesentlich sensibler sind und bei denen durch die experimentelle Methodik gesichert ist, daß die Schwellenwerte für die Entstehung von Einzeldefekten bestimmt wurden.

Bei der Behandlung der Stoßprobleme reicht es aus, die Atome als sphärischsymmetrische harte Kugeln zu beschreiben. Bei den kubisch-flächenzentrierten Metallen wurden früher neben den Stoßproblemen auch Stabilitätsprobleme, z. B. die Frage, welche stabilen Lagen Zwischengitteratome einnehmen können, gelöst [16]. Das ist bei Graphit nicht mehr möglich. Hier müssen unbedingt die Bindungsverhältnisse berücksichtigt werden. Als harte Kugel müßte ein C-Atom auch in der Lücke im Zentrum eines Sechsecks stabil sein. Seine kovalente sp^2-Bindung in der Schichtebene könnte dort aber nicht abgesättigt werden. Tatsächlich ist in dieser Lücke ein C-Atom statisch nicht stabil. Ein energiereiches C-Atom kann zwar seinen Gitterplatz in Richtung der Lücke leichter verlassen als in anderen in der Schichtebene liegenden Richtungen, es wird in der Lücke dann aber nicht festgehalten.

Die vorliegende Arbeit ergab sich im Anschluß an die Betrachtung von Graphitoberflächen, die mit Ionen beschossen waren [28]. In einer vorhergehenden Arbeit [29] hatten wir versucht, die sich beim Ionenbeschuß herausbildende Oberflächenstruktur von kubisch-flächenzentriertem Kupfer als Ergebnis korrelativer Stoßprozesse zu deuten. Beim Graphit deutete die Oberflächenstruktur auf entsprechende Vorgänge hin, und es konnte nunmehr mit der vorliegenden Arbeit nachgewiesen werden, daß derartige korrelative Stoßprozesse im Prinzip möglich sind.

Zum Abschluß möchte ich Herrn Dr. O. HAUSER und Herrn Dipl.-Phys. F. HILBERT für die interessanten Diskussionen sowie für kritische Hinweise zum Manuskript danken.

Literatur

[1] G. H. KINCHIN und R. S. PEASE, Rep. Progr. Phys. **18**, 1 (1955).
F. SEITZ und J. S. KOEHLER, Displacement of Atoms During Irradiation in Solid State Physics, Vol. 2, New York 1956.
G. J. DIENES und G. H. VINEYARD, Radiation Effects in Solids, New York 1957.
J. J. HARWOOD, H. H. HAUSNER, J. G. MORSE und W. G. RAUCH, Effects of Radiation on Materials, New York-London 1958.
[2] G. LEIBFRIED, Nukleonik **1**, 57 (1958).
[3] M. BALARIN und O. HAUSER, ZfK-WF **3** (1960); Kernenergie **3**, 873 (1960).
[4] D. K. HOLMES und G. LEIBFRIED, J. Appl. Phys. **31**, 1046 (1960).
[5] CHR. LEHMANN, Nukleonik **3**, 1 (1961).
[6] G. LEIBFRIED, J. Appl. Phys. **30**, 1388 (1959); **31**, 117 (1960).
[7] H. R. PANETH, Phys. Rev. **80**, 708 (1950).
[8] R. H. SILSBEE, J. Appl. Phys. **28**, 1246 (1957)
[9] G. S. ANDERSON und G. K. WEHNER, J. Appl. Phys. **31**, 2305 (1960).
[10] V. E. JURASOWA, N. V. PLESCHIWZEW und J. V. ORFANOW, Ž. E. T. F. (ЖЭТФ) **37**, 966(1959).
[11] M. KOEDAM und A. HOOGENDRORN, Physica **26**, 351 (1960).
[12] M. W. THOMPSON, Phil. Mag. **4**, 139 (1959).
[13] M. W. THOMPSON und R. S. NELSON, AERE-R 3320 (1960); Proc. Roy. Soc. **A 259**, 458 (1961).
[14] V. A. MOLTSCHANOW, V. G. TELKOWSKIJ und V. M. ZSCHITSCHEROW, Ber. Akad. d. Wiss. UdSSR (ДАН) **138**, 824 (1961).
[15] V. A. MOLTSCHANOW, V. G. TELKOWSKIJ und V. M. TSCHITSCHEROW, Ber. Akad. d. Wiss. UdSSR (ДАН) **137**, 58 (1961).
[16] J. B. GIBSON, A. N. GOLAND, M. MILGRAM und G. H. VINEYARD, BNL-4871; Phys. Rev. **120**, 1229 (1960).
[17] CHR. LEHMANN und G. LEIBFRIED, Z. Phys. **162**, 203 (1961).
[18] U. GONSER, J. Nucl. Mat. **2**, 43 (1960).
[19] M. W. THOMPSON, Nucleonics **18**, 133 (1960).
[20] G. J. DIENES, J. Appl. Phys. **23**, 1194 (1952).
[21] T. IWATA, F. E. FUJITA und H. SUZUKI, J. Phys. Soc. Japan **16**, 197 (1961).
[22] M. BALARIN, Z. Phys. **158**, 120 (1960).
[23] G. R. HENNIG und J. E. HOVE, PUAE P/751 (1955).
[24] S. AMELINCKX und P. DELAVIGNETTE, Phys. Rev. Lett. **5**, 50 (1960).
[25] W. BOLLMANN, J. Appl. Phys. **32**, 869 (1961).
[26] D. T. EGGEN, NAA-SR-69 (NSA 5639 (1960)).
[27] C. D. CLARK, P. J. KEMMEY und E. W. J. MITCHELL, Proc. Int. Conf. on Semiconductor Physics H/8, Prag 1960.
[28] F. HILBERT, II. Tagung der Sektion Kristallographie der Deutschen Mineralogischen Gesellschaft, Hamburg 1961.
[29] M. BALARIN und F. HILBERT, ZfK-WF **6** (1960); J. Phys. Chem. Solids **20**, 138 (1961).

(Received October 12, 1961)

Forschungsinstitut für Technische Physik der Ungarischen Akademie der Wissenschaften (a) *und Forschungsinstitut für die nachrichtentechnische Industrie* (b), *Budapest*

Elektronenmikroskopische Untersuchungen an Al_2O_3- und MnO_2-Schichten auf Aluminium-Oberflächen

Von

K. Árkosi (a), M. Holló (a) und J. Katona (b)

Mittels elektronenmikroskopischer Aufnahmen und Untersuchungen wurde festgestellt, daß die in schwachen Elektrolyten (z. B. Borsäure) gebildete Aluminiumoxydschicht von poröser Struktur ist. Für den Durchmesser der Poren ergibt sich als Durchschnittswert 50 Å. Die Dichte der Poren beträgt etwa $5 \cdot 10^{11}$ cm^{-2}. Die auf dem Aluminiumoxyd aus $Mn(NO_3)_2$ durch Pyrolyse gebildete Mangandioxydschicht dringt in die Poren des Aluminiumoxydfilmes ein. Dies steht in Übereinstimmung mit früher durchgeführten Kapazitätsmessungen.

The aluminum oxide film which forms on aluminum in the presence of weak electrolytes (e. g., boric acid) is shown, by means of an electron-microscopic study, to possess a porous structure. The pores are found to have an average diameter of about 50 Å, their density being about 5×10^{11} cm^{-2}. It is found that MnO_2, which can be formed on the aluminum oxide film from $Mn(NO_3)_2$ by pyrolysis, penetrates into the pores of the film. This is in agreement with capacity measurements carried out earlier.

Einleitung

Durch die Ergebnisse elektronenoptischer Untersuchungen ist seit längerem bekannt, daß anodische Oxydschichten, die auf Aluminium in starken Elektrolyten (Schwefelsäure, Phosphorsäure, Chromsäure) gebildet wurden, regelmäßig verteilte Poren aufweisen [1, 2, 3, 4, 5]. Weitere eingehende Forschungen gaben Auskunft über quantitative Zusammenhänge zwischen den Bildungsbedingungen und den Abmessungen der Poren [6, 7, 8, 9, 10]. Ferner wurden Hypothesen bezüglich der Form und Anordnung der Poren aufgestellt.

Die in schwachen Elektrolyten, z. B. in Borsäure gebildeten, anodischen Schichten werden allgemein für porenfrei gehalten (Sperrschicht), obwohl einige Autoren [11, 12, 13, 14] auch bei diesen Schichten das Vorhandensein von Poren vermutet haben. Für den Fall der Borsäure konnte ein unmittelbarer Nachweis hierfür bisher nicht gegeben werden. In Oxydfilmen, die in anderen schwachen Elektrolyten erzeugt wurden, konnten jedoch kürzlich bereits Poren nachgewiesen werden [15, 16].

Es ist bekannt, daß die in Borsäure gebildeten Oxydschichten dank ihrer günstigen dielektrischen Eigenschaften erfolgreich in Kondensatoren verwendet werden. Die elektrischen Eigenschaften der Kondensatoren lassen sich dadurch noch verbessern, daß der Elektrolyt durch ein gut leitendes Metalloxyd, z. B. Mangandioxyd, ersetzt wird, welches sowohl die Ionen- wie die Elektronenleitung sichert.

Ziel unserer Untersuchungen war einerseits, das Vorhandensein von Poren in der Oxydschicht der Kondensator-Folien nachzuweisen und ihre Abmessungen zu bestimmen. Andererseits war zu zeigen, ob der Mangandioxyd-Überzug in die Poren der Oxydschicht eindringt oder nicht, weil sich nur im ersteren Falle auf diesem Wege Möglichkeiten für die erfolgreiche Weiterentwicklung der Kondensatoren bieten.

Auf Einzelheiten der Struktur und des Bildungsmechanismus der verschiedenen anodischen Oxydschichten soll hier nicht näher eingegangen werden. Wir verweisen bezüglich dieser Fragen auf unsere früher veröffentlichten Ergebnisse [17, 18, 19, 20, 21].

Herstellung der zu untersuchenden Proben

Für die Untersuchungen verwandten wir 0,1 mm dicke Folien aus Reinstaluminium (99,99% Al), aus denen 2 cm × 2 cm große Probestücke angefertigt wurden. Die Proben wurden in 1,5%-iger NaOH-Lösung bei 70 °C mit 2 Minuten Tauchzeit dekapiert, in fließendem Wasser und danach in destilliertem Wasser gespült und hierauf anodisch oxydiert. Das Anodisierungsbad enthielt 50 g Borsäure und 5 g Borax pro Liter Wasser. Die Betriebstemperatur war 40 °C, die Stromdichte 2 mA/cm^2. Die Zellenspannung betrug bei den beiden durchgeführten Versuchsreihen 40 bzw. 200 Volt. Die Formierung wurde bis zu einem Reststrom von 0,005 μA/Volt · μF fortgesetzt.

Die Schichtdicken wurden aus Kapazitätsmessungen für die beiden Versuchsreihen zu 530 Å bzw. 2700 Å berechnet.

Aus beiden Reihen wurde eine gewisse Anzahl der Proben in dem so hergestellten Zustand untersucht. Die restlichen Proben wurden noch mit einer Mangandioxydschicht versehen. Hierzu wurde auf die Proben eine 20%-ige wässerige Lösung von $Mn(NO_3)_2$ aufgetragen. Darauf folgte eine Pyrolyse bei ungefähr 450 °C, durch die sich in 6 s eine kontinuierliche MnO_2-Schicht auf der Aluminiumoxyd-Oberfläche bildete.

Präparationsverfahren für die elektronenmikroskopischen Untersuchungen

a) Zur Untersuchung der Aluminiumoxydschichten wurden zwei verschiedene Verfahren angewendet. Erstens wurden die von der Oberfläche in einer Sublimat-Lösung abgeschwemmten [4] Oxydschichten mit direkter Transmission im Elektronenmikroskop untersucht (Fig. 1). Zweitens wurden an denselben Schichten auch Untersuchungen mit der Kohleabdruckmethode [22] vorgenommen. Die dickeren, undurchstrahlbaren Oxydschichten wurden jedoch nur indirekt, d. h. mit der Kohleabdruckmethode untersucht. In diesem Falle wurden sowohl von

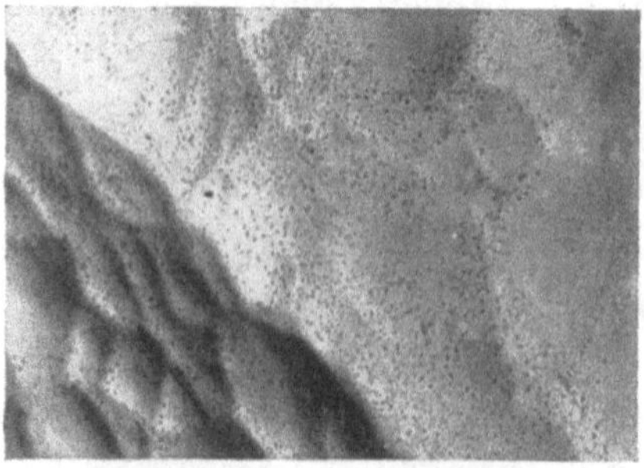

Fig. 1. Elektronenoptische Aufnahme einer Aluminiumoxydschicht mit direkter Transmission der abgeschwemmten Schicht. (1:28000)

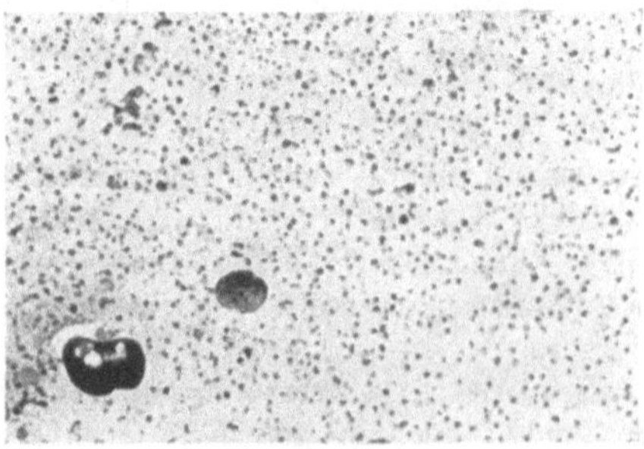

Fig. 2. Kohleabdruck der äußeren Oberfläche der Oxydschicht. (1:50000)

der äußeren (Fig. 2) als auch von der inneren Seite der abgeschwemmten Oxydschicht Kohleabdrücke hergestellt.

b) Zur Untersuchung der Mangandioxydschichten wurde folgendes Präparationsverfahren benutzt: Auf die Oberfläche des Mangandioxyds wurde eine konzentrierte Kolloidum-Lösung aufgebracht. Nach Eintrocknen des Lösungsmittels konnte die so verstärkte MnO_2-Schicht von der Probe abgetrennt werden. Das auf der inneren Seite der MnO_2-Schicht anhaftende Aluminiumoxyd wurde mit einem entsprechenden Lösungsmittel [5] gelöst. Die so freigelegte innere Oberfläche des Mangandioxydes wurde mittels der schon erwähnten Kohleabdruckmethode abgebildet. Der Kohleabdruck wurde vom Kollodium in Amylazetat vom MnO_2 in verdünnter Salzsäure (1:1) befreit. Auf diese Weise ergaben sich vollständig reine, mit Elektronenstrahlen gut durchleuchtbare Kohleabdrücke, durch welche die Struktur der inneren Oberfläche der Mangandioxydschichten einwandfrei abgebildet wurde.

Untersuchungsergebnisse

Die elektronenmikroskopischen Aufnahmen zeigen einwandfrei das Vorhandensein von Poren. Diese erscheinen als unregelmäßig zerstreute schwarze Punkte (Fig. 1). Die auf der Aufnahme sichtbare gröbere Struktur entspricht dem Subkorngefüge der Aluminiumoberfläche, welches durch die chemische Vorbehandlung (Dekapierung) hervorgerufen und durch die Oxydschicht abgebildet wurde. (Diese Grobstruktur ist also keine Eigenstruktur der Oxydschicht.) Die mit Hilfe der Kohleabdruckmethode erhaltenen Aufnahmen zeigen noch eindeutiger, daß Poren vorhanden sind, da der aufgedampfte Kohlefilm tief in diese eindringt, so daß die Poren auf den Aufnahmen als klar erkennbare schwarze Punkte erscheinen (Fig. 2). Die von der Mangandioxydschicht hergestellten Kohleabdrücke (Fig. 3) geben nicht nur einen weiteren Beweis für das Vorhandensein der Poren, sondern zeigen auch, daß die Mangandioxydschicht — unserer Annahme entsprechend — tatsächlich in die Poren der Aluminiumoxydschicht eindringt. Der indirekte Beweis für dieses Eindringen ist dadurch gegeben, daß die Poren der Aluminiumoxydschicht klar auf der inneren Oberfläche der MnO_2-Schicht zu erkennen sind. Wie tief das Eindringen ist, läßt sich auf Grund dieser Aufnahmen nicht entscheiden. Dies wäre vielleicht mit Hilfe einer Untersuchung ultradünner Querschnitte durch die Oxyd-Doppelschicht zu klären.

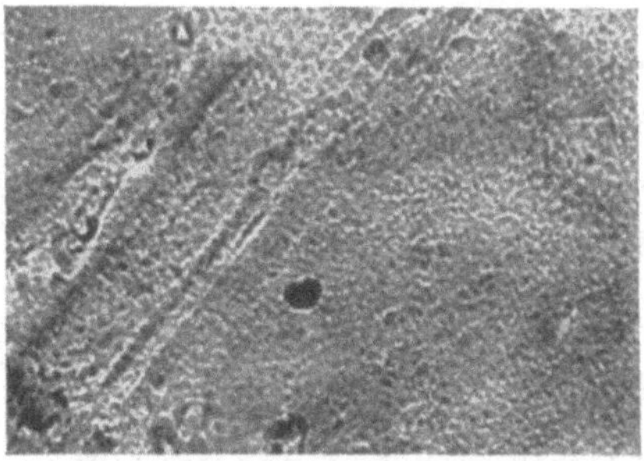

Fig. 3. Kohleabdruck der inneren Oberfläche der Mangandioxydschicht. (1:72000)

Ferner wurden auf Grund der elektronenmikroskopischen Aufnahmen die Porendurchmesser und die Porendichte bestimmt. Diese Ergebnisse wurden auf Grund von Verteilungskurven berechnet. Die mit der Abdruckmethode erhaltenen Porendurchmesser sind dabei bedeutend größer als diejenigen, welche sich aus der unmittelbaren Durchstrahlung des Oxydfilmes ergeben. Diese Unterschiede sind dadurch zu erklären, daß die Abdruckmethode die Porenabmessungen entstellt. Ferner ist bemerkenswert, daß die unmittelbar auf dem Oxydfilm gemessene Porendichte mehr Poren pro Flächeneinheit ergibt als aus der Aufnahme des Kohlenabdrucks ersichtlich ist.

Dieses Resultat ist teilweise darauf zurückzuführen, daß die Manganoxyd-Schicht und sogar der Kohlefilm selbst nicht unbedingt gleichmäßig tief in alle Poren eindringen. Es ist auch möglich, daß ein Teil der Poren unsichtbar bleibt, weil die Aufnahmen der Abdrücke nicht genügend konstrastreich sind.

Es ist daher berechtigt anzunehmen, daß die Aufnahmen der Oxydschicht die zuverlässigeren Ergebnisse liefern. Als Durchschnittswert für den Durchmesser der Poren ergibt sich dann 50 Å. Die Porendichte beträgt etwa $5 \cdot 10^{11}$ Poren pro cm^2.

Abschließende Bemerkungen

Es muß noch darauf hingewiesen werden, daß außer den hier beschriebenen Poren, welche auf den Aufnahmen mit direkter Transmission im allgemeinen als dunklere Flecken, manchmal jedoch auch hell erscheinen, auch ganz weiße porenähnliche Flecken beobachtet werden konnten, die zwei- bis dreimal größer sind als die eigentlichen Poren. Diese weißen Flecken sind Löcher im Oxydfilm, also Orte, wo der Elektronenstrahl keine Absorption oder Beugung erleidet. Demgegenüber sind die eigentlichen Poren nur Vertiefungen, d. h. sich von der Oberfläche bis zur Sperrschicht (barrier layer) erstreckende hohle Röhrchen. Unter diesen aber befindet sich eine verhältnißmäßig dicke porenfreie Schicht, die sich im Strahlengang des Elektronenstrahles befindet. Deshalb erscheinen diese Poren auf den Aufnahmen nie weiß, sondern höchstens hell, mit wenig Kontrast zu der Umgebung, oft aber infolge von Elektroneninterferenzerscheinungen auch dunkel.

In einer Arbeit ist der elektronenoptische Nachweis solcher Poren beschrieben worden [14]. Dort werden aber Poren einerseits nur bei Formierung mit 600 V nachgewiesen, andererseits aber auch nach mehrmonatigem Kontakt mit Borsäure-Ammoniumhydroxyd-Elektrolyt. Der Verfasser nennt die Erscheinung selbst eher „Pitting“ (Lochfraß) als „Poren“. Die dort angegebenen Abmessungen sind auch zu groß, als daß sie Poren zugeschrieben werden könnten. Sie sind eher mit den von uns beobachteten weißen Flecken zu identifizieren, die wir in unserem Falle nicht als Poren, sondern als Löcher im Oxydfilm deuten, und die auch bei Aluminiumoxydschichten anderer Herstellung vorkommen und wahrscheinlich lokalen elektrischen Erscheinungen zuzuschreiben sind oder möglicherweise aus Präparationsfehlern stammen.

Wenn diese Deutung richtig ist, wurden also die Poren der in Borsäure formierten Oxydschichten elektronenoptisch früher nicht nachgewiesen und gemessen.

Vom theoretischen Standpunkt ist es von Bedeutung, die anodischen Oxydschichten verschiedener Herstellung — vom anodischen Polieren bis zum Harteloxieren, usw. — im Rahmen eines einheitlichen Mechanismus zu betrachten. Vorschläge zur Klärung dieser Frage wurden von uns kürzlich veröffentlicht [15]. Ohne die dort beschriebenen Ergebnisse zu wiederholen, wollen wir jedoch auf sie hinweisen, um zu betonen, daß die Existenz von Poren in den bisher als porenfrei angesehenen Oxydschichten auf Aluminium von Bedeutung ist.

Zusammenfassung

Mittels elektronenoptischer Untersuchungen wurde festgestellt:

1. Auch die in schwachem Elektrolyt (Borsäure) gebildete Aluminiumoxydschicht ist von poröser Struktur.

2. Der Porendurchmesser ist ungefähr 50 Å.
3. Die Dichte der Poren ist etwa $5 \cdot 10^{11}$ cm^{-2}.
4. Die auf dem Aluminiumoxyd aus $Mn(NO_3)_2$ durch Pyrolyse gebildete MnO_2-Schicht dringt in die Poren des Aluminiumoxydfilmes ein. Dies ist in Übereinstimmung mit früher von uns durchgeführten Kapazitätsmessungen [21].

Literatur

[1] J. B. Edwards und F. Keller, Trans. Electrochem. Soc. **79**, 135 (1941).
[2] V. J. Schafer und D. Harker, J. appl. Phys. **13**, 427 (1943).
[3] R. D. Heidenreich und V. G. Peck, J. appl. Phys. **14**, 23 (1943).
[4] F. Keller, und A. H. Geissler, Trans. Am. Inst. Mining, Met. Engrs. **156**, 82 (1944).
[5] J. D. Edwards und F. Keller, Ibid. **156**, 288 (1944).
[6] F. Keller, M. S. Hunter und D. I. Robinson, J. Electrochem. Soc. **100**, 411 (1953).
[7] C. J. L. Booker, J. L. Wood und A. Welsh, Brit. J. Appl. Phys. **8**, 347 (1957).
[8] M. Paganelli, Aluminio **27**, 3 (1958).
[9] J. Katona, Elektrolytkondensatoren, Dissertation, Budapest 1957.
[10] M. S. Hunter und F. Fowle, J. Electrochem. Soc. **101**, 481 (1954).
[11] A. Dobias, L. Kramp und O. Labedniskaya, Z. Phys. **61**, 862 (1930).
[12] A. Simon und O. Jausch, Z. Elektrochemie **41**, 739 (1935).
[13] L. N. Zakgeim, Elektroličeskije Kondensatory, Moskau 1954.
[14] J. Sato, J. Electrochem. Soc. Japan **24**, 506 (1956).
[15] M. Holló, Vortrag auf dem Ersten Internationalen Korrosionskongreß in London, April 1961.
[16] E. Lichtenberger und M. Holló, Méteux, Corrosion, Industries (in Vorbereitung).
[17] M. Holló, Rev. Metallurg. **57**, 23 (1960).
[18] M. Holló, Acta Metall. 8, 265 (1960).
[19] P. Csokán und M. Holló, Werkstoffe und Korr. **12**, 288 (1961).
[20] J. Katona, Acta Technica Acad. Sci. Hung. **24**, 235 (1959).
[21] J. Katona, Acta Techn. Acad. Sci. Hung, in Vorbereitung.
[22] D. E. Bradley, Brit. J. appl. Phys. **5**, (1954); J. Inst. Metals **83**, 35 (1954).

(Received October 27, 1961)

Forschungsinstitut für metallische Spezialwerkstoffe Dresden der Deutschen Akademie der Wissenschaften zu Berlin

Untersuchungen über das Remanenzverhalten magnetischer Einbereichs-Kollektive

Von

O. Henkel

An Fe–Ni–Cr-Dauermagneten, wo formanisotrope Einbereichsteilchen in einer paramagnetischen Matrix eingelagert sind, wurde die Remanenzmagnetisierung nach verschiedenen Methoden ermittelt und mit den theoretischen Vorstellungen verglichen. Die Wechselwirkungen der Teilchen werden erst oberhalb einer Packungsdichte von 15% merkbar. Die für kohärente Rotation geltenden Beziehungen der Remanenzmagnetisierungen verschiedener Ermittlungsmethoden sind auch bei curling-Umkehr gut brauchbar.

Several techniques are used to study the remanent magnetism in Fe-Ni-Cr permanent magnets composed of single-domain anisotropically shaped particles embedded in a paramagnetic matrix. The results are compared with theory. The interaction between the particles is found to be significant only if the space occupied by them exceeds 15 per cent. Expressions valid for the remanent magnetisation obtained by these techniques in the case of coherent rotation are shown to be also applicable to the case of "curling" reversion.

Einleitung

Johnson und Brown [1] haben die Formverteilung magnetischer Einbereichsteilchen durch Remanenzmessungen an γ-Fe_2O_3 bestimmt, indem sie die Probe nach der Magnetisierung bis zur Sättigung einem abnehmenden Wechselfeld bestimmter Größe aussetzen und die so gemessene Wechselfeld-Entmagnetisierungs-Remanenz als Funktion des Wechselfeldes ermittelten. Die Diskrepanz zwischen dem hieraus abgeleiteten und dem elektronenmikroskopisch ermittelten Längen-Dicken-Verhältnis der Teilchen führten sie auf magnetische Wechselwirkungen zurück.

Wohlfarth [2] beschreibt zwei weitere analoge Methoden der Remanenzermittlung, die Gleichfeld-Entmagnetisierungs- und die Gleichfeld-Remanenz-Methode, und Shtrikman und Treves [3] fügten noch die anhysteretische Methode hinzu. Zwischen den nach den drei erstgenannten Methoden ermittelten Remanenzwerten, die in der Reihenfolge mit I'_D, I_D und I_R bezeichnet werden sollen, bestehen nach Wohlfarth folgende von dem Winkel der Orientierung der leichten Achsen der Magnetisierung und der Variation der Anisotropie des Kollektivs unabhängige Beziehungen:

$$I_D(H) = I_R(\infty) - 2\, I_R(H)\,, \tag{1}$$

$$I'_D(H) = I_R(\infty) - I_R(H)\,, \tag{2}$$

$$I'_D(H) = \frac{1}{2}\, I_R(\infty) + \frac{1}{2}\, I_D(H)\,. \tag{3}$$

Diese Beziehungen können benutzt werden zur experimentellen Überprüfung des idealen Zustandes bzw. der Abweichung hiervon durch nichteinachsige Anisotropie, Teilchenwechselwirkung oder superparamagnetische-, Mehrbereichs- und inkohärtente Rotations-Effekte. Johnson und Brown [4] überprüften die obigen

Beziehungen an γ-Fe_2O_3-Teilchen und stellten fest, daß die Teilchenwechselwirkungen nicht ausreichend sind zur Erklärung der Nichtübereinstimmung zwischen dem beobachteten magnetischen Verhalten und der Rechnung nach dem Stoner-Wohlfarth-Modell. Sie äußern die Vermutung, daß durch die nichtideale Form der Teilchen keine kohärente Magnetisierungsumkehr, sondern vielleicht curling-Magnetisierung auftritt.

Das Ziel der vorliegenden Untersuchungen war, die obigen Remanenzbeziehungen von WOHLFARTH an Fe–Ni–Cr-Magneten, wo ferromagnetische Einbereichsteilchen in einer paramagnetischen Matrix eingelagert sind, zu überprüfen und den Einfluß der Packungsdichte der Teilchen festzustellen. Darüber hinaus sollte die Unabhängigkeit von der Ausrichtung und Teilchenform und -größe (Koerzitivfeldstärke) bestätigt werden.

Versuchsdurchführung

Die Untersuchungen wurden ausschließlich an gebündelten Drähten mit Einzeldurchmessern von 0,05 bis 0,1 mm durchgeführt, deren Technologie von RASSMANN und HENKEL [5, 6] beschrieben ist. Der Wert des Rotationshystereseintegrals zeigt nach RASSMANN und HENKEL [7], daß nur curling-Magnetisierung vorkommt.

Die Radien- und Elongationsvariation solcher Kollektive ist etwa $1{,}5 < S < 3{,}5$ und $3 < m < 12$ (S = reduzierter Radius R/R_0, m = Längen-Dicken-Verhältnis). Sämtliche Remanenzmessungen wurden ballistisch durchgeführt. Als Sättigungsfeldstärke wurde einheitlich $3{,}5\,{}_IH_c$ benutzt, was für alle praktischen Belange ausreichend war. Die Wechselfeldbehandlung konnte nur bis etwa 1800 Oe vorgenommen werden, so daß Teilchenkollektive mit einer pauschalen Koerzitivfeldstärke ${}_IH_c > 500$ Oe bei der Ermittlung der Remanenzmagnetisierung I'_D nach der Wechselfeld-Entmagnetisierungs-Methode nicht restlos entmagnetisiert werden konnten. Es wurden deshalb zu den Untersuchungen Proben ausgewählt, wo möglichst wenige Teilchen eine wahre Koerzitivfeldstärke ${}_IH_c > 1800$ Oe besitzen.

Die Problematik der Untersuchungen und die Durchführung der verschiedenen Remanenzermittlungen soll an zwei extremen Beispielen mit hoher pauschaler Koerzitivfeldstärke und hoher Packungsdichte aufgezeigt werden. In Fig. 1 sind die Meßwerte und die nach den Gleichungen (1) bis (3) errechneten Werte eingetragen. Zur Ermittlung der (bisher üblichen) Remanenzmagnetisierung $I_R(H)$, die nach Anlegen und Entfernen eines direkten Gleichfeldes erreicht wird, muß die Probe vorher entmagnetisiert werden. Neben der Wechselfeld-Entmagnetisierung kann der Zustand $I_R = 0$ auch durch ein der Sättigungsfeldstärke entgegengerichtes Gleichfeld der Größe ${}_IH_R$ (bei idealen Teilchen kohärenter Magnetisierung ist ${}_IH_R = 1{,}09\,{}_IH_c$) eingestellt werden. Bei beiden Proben weichen die Remanenzkurven $I_R(H)$ nach verschiedener vorheriger Entmagnetisierung voneinander ab. Nach Gleichfeld-Entmagnetisierung wird die Sättigung bei niedrigeren Feldstärken erreicht, was darauf zurückzuführen ist, daß nach dieser Art der Entmagnetisierung mit zunehmendem Gegengleichfeld die Spins der Teilchen aus dem unteren Koerzitivfeldstärke-Spektrum umgekehrt werden, während im anderen Falle eine statistische wechselweise Umkehrung der Spins aller Teilchen aus dem gesamten Spektrum erfolgt. Nach den Ergebnissen der Remanenzmagnetisierung $I_D(H)$ wird Gleichung (1) nur nach der vorherigen Wechselfeldentmagnetisierung befriedigend bestätigt. Analog hierzu ist das gleiche Resultat nach der Umrechnung in $I'_D(H)$ vorhanden. Hinzu kommt aller-

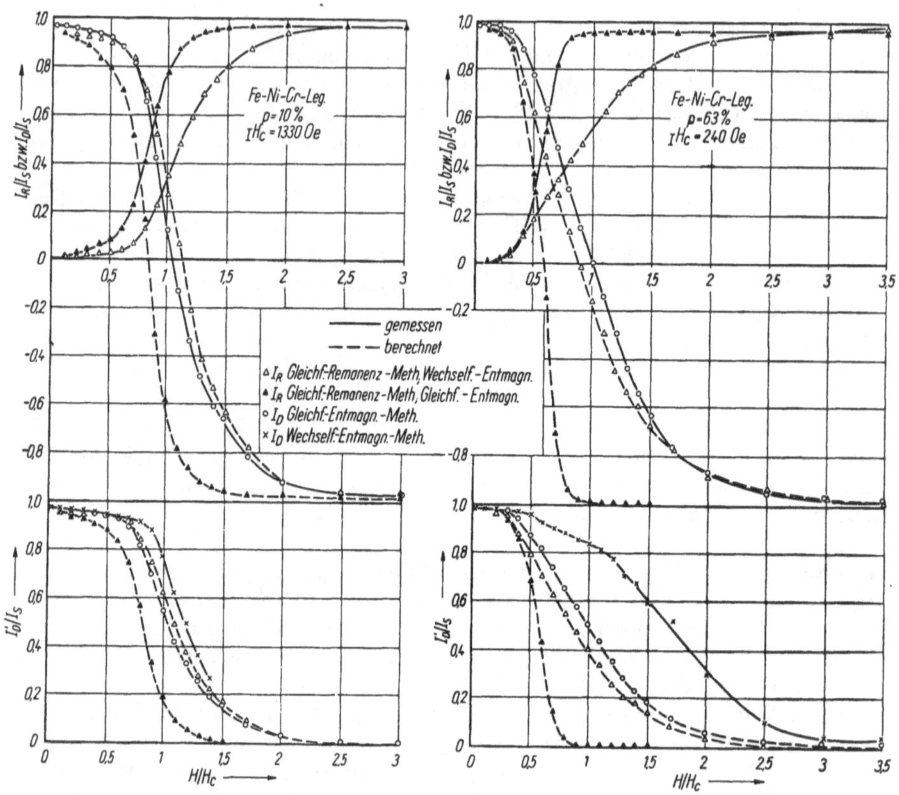

Fig. 1. Remanenzkurven verschiedener Ermittlungs-Methoden nach vorheriger Wechselfeld- und Gleichfeld-Entmagnetisierung

dings, daß bei der Probe mit der großen Packungsdichte im rechten Teilbild auch die gemessenen Werte sehr stark abweichen von den nach den Gleichungen (2) und (3) errechneten ((2) nach vorheriger Wechselfeldentmagnetisierung). Die folgenden Untersuchungen zur Ermittlung des Einflusses der Packungsdichte, Ausrichtung und Koerzitivfeldstärke basieren nur auf der Wechselfeld-Entmagnetisierung der Teilchen vor der Messung.

Versuchsergebnisse

Einfluß der Packungsdichte

Die Untersuchungen über die Ursache der magnetischen Härte kaltverformter Fe–Ni-Cr-Legierungen von Rassmann und Henkel [7] ergaben, daß bei diesen formanisotropen Teilchen eine curling-Magnetisierungsumkehr vorliegt. Unter dieser Voraussetzung sind die folgenden Untersuchungsergebnisse zu betrachten. Zur Ermittlung des Einflusses der Wechselwirkung der Teilchen ist in Fig. 2a und 2b die Packungsdichte von 1 bis 70% variiert. Der Ausrichtungsgrad wurde mit $0{,}78 < g < 0{,}88$ und die Koerzitivfeldstärke mit $660 < {}_IH_c < 700$ Oe bzw. $160 < {}_IH_c < 270$ Oe annähernd konstant gehalten. Koerzitivfeldstärken um 700 Oe — die hier den Mittelwert eines ganzen Spektrums repräsentieren — lassen

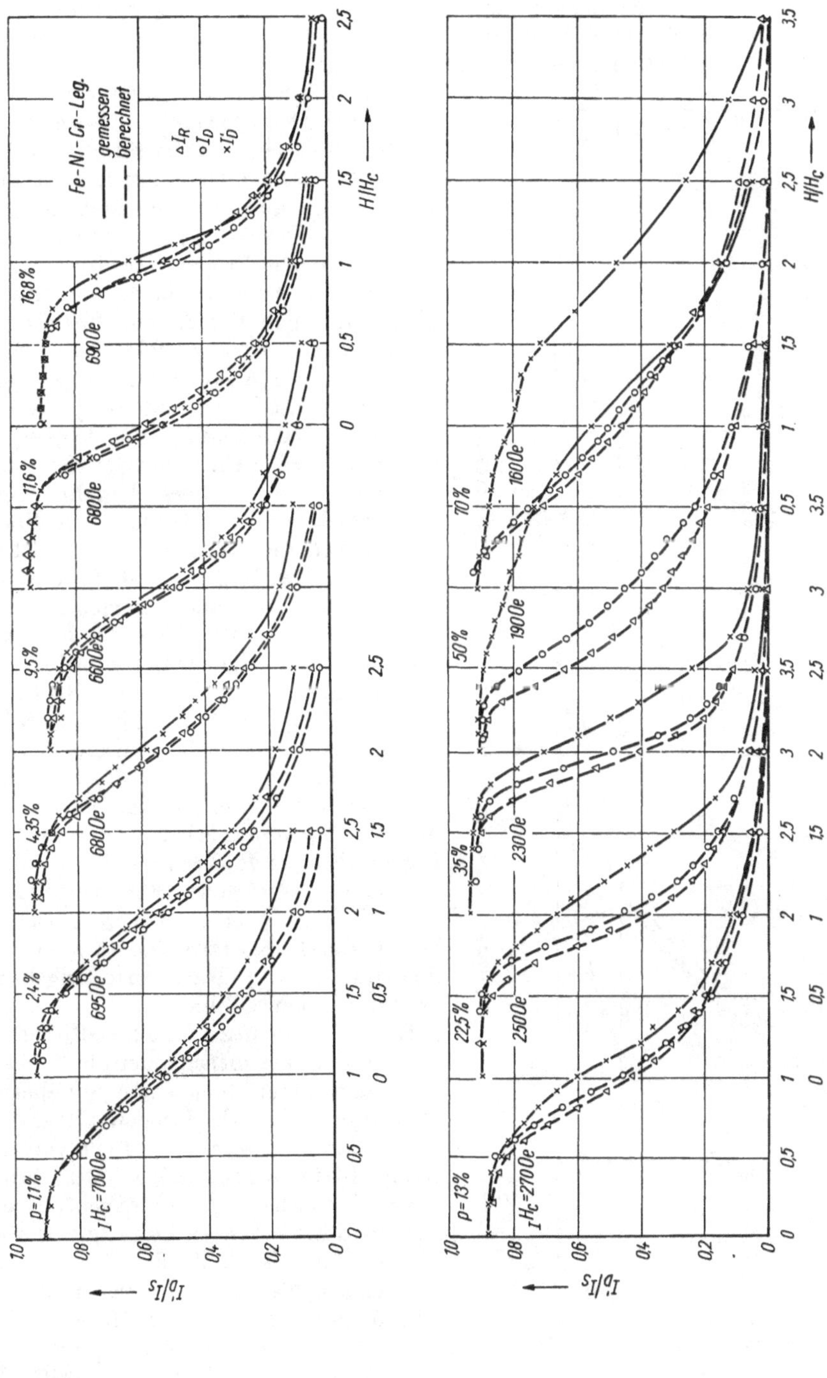

Fig. 2. Vergleich der gemessenen und errechneten Werte nach der Wechselfeld-Entmagnetisierungs-Methode bei verschiedenen Packungsdichten (oben 2a unten 2b)

vermuten, daß Mehrbereichseffekte praktisch vernachlässigbar sind. Bei den niedrigen Koerzitivfeldstärken und den relativ großen Packungsdichten kann diese Frage, ob Einbereichsverhalten vorliegt oder bereits Mehrbereichseffekte auftreten, nicht mehr im voraus eindeutig beantwortet werden.

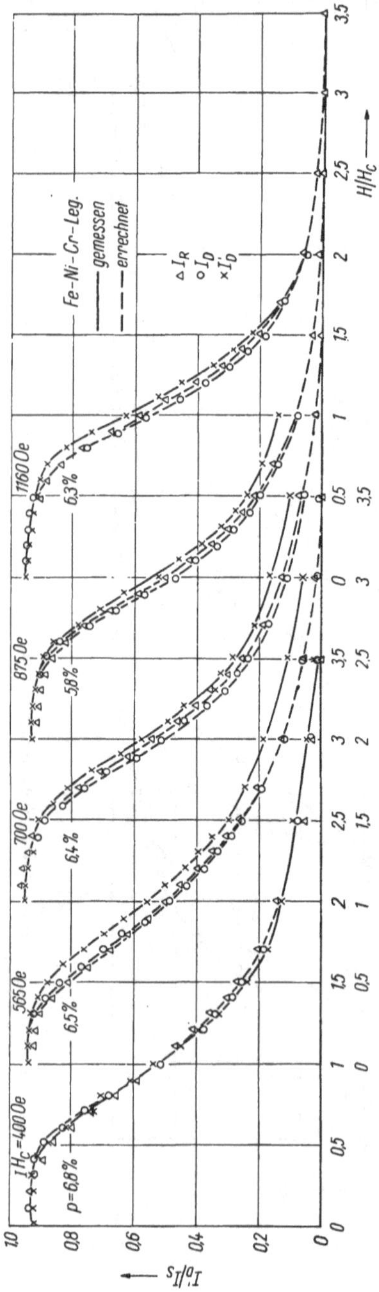

Fig. 3. Vergleich der Remanenzkurven bei verschiedener Koerzitivfeldstärke

Innerhalb des Packungsdichte-Bereiches von 1 bis 12% werden die Beziehungen (1) bis (3) recht gut bestätigt. Geringe Abweichungen treten lediglich bei großen Feldstärken auf und scheinen mit zunehmender Verdünnung geringfügig größer zu werden. Die Probenauswahl ist so getroffen, daß sich die beiden Packungsdichte-Serien in Fig. 2a und 2b mit den verschiedenen Koerzitivfeldstärken überschneiden. Die Abweichung bei $p = 13\%$ mit $_IH_c = 270$ Oe ist bereits größer als die bei $p = 16{,}8\%$ mit $_IH_c = 690$ Oe. Als Grund können Mehrbereichseffekte angenommen werden. Diese Annahme wird gestützt durch den Vergleich der Remanenzkurven der Proben mit $p = 22{,}5\%$ und 35% bzw. 13% und 16,8% und mit Einschränkungen auch derjenigen mit $p = 50\%$ und 70%. Wo die Formverteilungskurve, die Differentiation der $I'_D(H)$-Kurven, ein breiteres Spektrum hat, sind die Abweichungen jeweils größer. Andererseits sind Mehrbereichseffekte umso wahrscheinlicher, je breiter das Koerzitivfeldstärke-Spektrum ist (das gesamte gemessene Spektrum wird sowohl von der Form- als auch Radienvariation gebildet, so daß der Ausdruck „Formverteilungskurve" nicht allgemein genug ist und besser durch Koerzitivfeldstärke-Verteilungskurve oder Härteverteilungskurve ersetzt werden sollte).

Es ist allgemein ersichtlich, daß oberhalb $p = 20\%$ bei den vorliegenden Radien- und Formvariationen auch keine annähernde Bestätigung der Gleichungen (2) und (3) vorhanden ist, während (1) davon nur wenig beeinträchtigt wird. Mit diesem Ergebnis werden unveröffentlichte Erfahrungen des Verfassers bestätigt, wonach ab $p = 15$ bis 20% der Einfluß der Packungsdichte auf die Koerzitivfeldstärke mit dem Faktor $(1 - p)$ nicht mehr ausreichend berücksichtigt wird. Abschließend sei jedoch festgestellt, daß trotz inkohärenter Rotation die von Wohlfarth [2] aufgestellten Beziehungen bis zu Packungsdichten von $p = 15\%$ experimentell gut bestätigt werden. Daß bei sehr kleinen Packungsdichten eine restlose Entmagnetisierung durch ein Wechselfeld auf Schwierigkeiten stößt, bedarf sicherlich einer zusätzlichen Untersuchung.

Koerzitivfeldstärke

Nach Wohlfarth [2] gelten die Beziehungen (1) bis (3) für alle Variationen der Anisotropie bei kohärenter Rotation. Da bei den vorliegenden Teilchen die

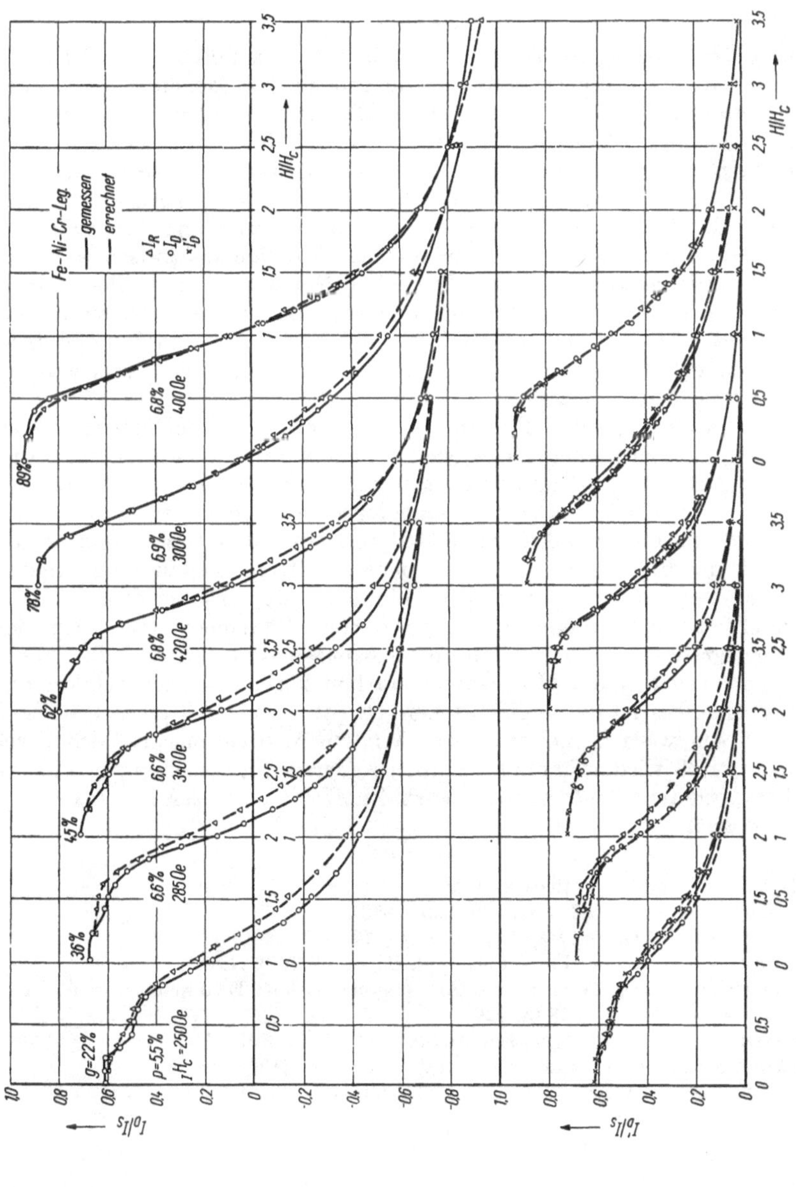

Fig. 4. Einfluß des Ausrichtungsgrades der Teilchen auf das Remanenzverhalten

Magnetisierungsumkehr nach dem curling-Modell stattfindet, soll das weiter oben Gesagte über die Bestätigung der Wohlfarthschen Beziehungen auch bei inkohärenter Rotation auf einen größeren Koerzitivfeldstärke-Bereich ausgedehnt werden. Die Ergebnisse sind in Fig. 3 enthalten. Bei annähernd gleicher Packungsdichte und Ausrichtung der Teilchen ist im Bereich $400 < {}'_I H_c < 1160$ Oe eine gute Übereinstimmung zwischen Experiment und Theorie vorhanden. Bei den mittleren Koerzitivfeldstärken kann wieder das in bezug auf kleine Packungsdichten Gesagte über die Abweichungen bei hohen Wechselfeldstärken beobachtet werden. Es hat den Anschein, als ob diese noch näher zu untersuchende Diskrepanz nur bei mittleren Feldstärken auftritt.

Ausrichtung

Auch die Orientierung der Teilchen — ob beliebig, partiell oder total ausgerichtet — hat nach den experimentellen Untersuchungen keinen Einfluß auf die Übereinstimmung der Beziehungen (1) bis (3). Trotzdem sind einige Besonderheiten zu beobachten, die es wert erscheinen lassen, nicht nur die $I'_D(H)$-, sondern auch die $I_D(H)$-Kurven in Fig. 4 zu betrachten. Zwischen der Wechselfeld- und Gleichfeld-Entmagnetisierungsremanenz besteht im gesamten Ausrichtungsgradbereich von 22 bis 89% eine ausgezeichnete Übereinstimmung. Dagegen ist mit abnehmender Ausrichtung eine zunehmende Abweichung zwischen den Remanenzmagnetisierungen nach der Gleichfeld-Remanenz- und Gleichfeld-Entmagnetisierungsmethode zu bemerken. Das ist genau im Gegensatz zu den Beobachtungen über den Einfluß der Packungsdichte, wo stets die Ergebnisse nach den beiden letztgenannten Methoden praktisch übereinstimmen und von denen der Wechselfeld-Entmagnetisierungs-Methode abweichen.

Bei den von Johnson und Brown [1, 4, 8] gezeigten Formverteilungskurven von γ-Fe_2O_3 ist gewöhnlich ein kleines Vormaximum zu bemerken. Mit abnehmendem Ausrichtungsgrad ist in Fig. 4 bei den Ergebnissen nach der Gleichfeld- und Wechselfeld-Entmagnetisierungs-Methode auch eindeutig dieser Effekt zu sehen. Die Ergebnisse der Gleichfeld-Remanenz-Methode sind in diesem Anfangsbereich der kleinen Werte wegen nicht spezifisch, so daß diese Ergebnisse nicht weiter verwertet werden sollen. Eindeutig ist, daß bei diesen Untersuchungsobjekten Vormaxima der differenzierten Remanenzkurven bei hohen Ausrichtungsgraden nur sehr selten zu beobachten sind und deshalb diese Anhäufung von Teilchen mit Koerzitivfeldstärken kleiner als der mittleren vielleicht nur scheinbar ist durch eine geringe Orientierung. Zuletzt soll noch darauf hingewiesen werden, daß mit abnehmendem Ausrichtungsgrad das Verhältnis $H_R/H_c > 1{,}09$ wird, während bei allen anderen Untersuchungen und selbst bei Packungsdichten $p > 50\%$ dieses Verhältnis in den Grenzen $1 < H_R/H_c < 1{,}1$ beobachtet wird.

Literatur

[1] C. E. Johnson und W. F. Brown, J. appl. Phys. **29**, 313 (1958).

[2] E. P. Wohlfahrt, J. appl. Phys. **29**, 595 (1958).

[3] S. Shtrikman und O. Treves, J. appl. Phys. **31**, 589 (1960).

[4] C. E. Johnson und W. F. Brown, J. appl. Phys. **29**, 1699 (1958).

[5] G. Rassmann und O. Henkel, Ber. Arbeitsgemeinschaft Ferromagnetismus, Dr. Riederer-Verlag, Stuttgart 1958 (S. 120).

[6] G. Rassmann und O. Henkel, Nachrichtentechnik **11**, 307 (1961).

[7] G. Rassmann und O. Henkel, phys. stat. sol. **1**, 517 (1961).

[8] C. E. Johnson und W. F. Brown, J. appl. Phys. **30**, 1369 (1959).

(Received October 13, 1961)

Mineralogisch-Petrographisches Institut
und Museum der Humboldt-Universität zu Berlin

Über WO_3-Umwandlungen bei der thermischen Zersetzung der Ammoniumparawolframate

Von

G. KOHLSTRUNG

An Hand von röntgenographischen Untersuchungen, insbesondere mit der UNICAM-Hochtemperaturkamera sowie mit Hilfe differentialthermoanalytischer Untersuchungen und Kapazitätsmessungen konnte nachgewiesen werden, daß die thermische Zersetzung aller Ammoniumparawolframate zum WO_3 zunächst über einen röntgenamorphen Bereich sowie über die Bildung einer Ammoniumwolframbronze verläuft. Dieser Prozeß ist mit einer Farbvertiefung der Glühprodukte von hellgelb nach orange verbunden. Aus dem Natrium-Ammoniumparawolframat $4(NH_4)_2O \cdot Na_2O \cdot 12\,WO_3 \cdot 13\,H_2O$ bildet sich bei 530 °C eine Verbindung der Zusammensetzung $Na_{0,17}WO_3$ mit der Struktur des tetragonalen Wolframtrioxyds, während die orangeroten Ammoniumwolframbronzen sich erst über die Struktur des monoklinen WO_3 in die des tetragonalen Trioxyds umwandeln. — Diese Umwandlung verläuft reversibel (Umwandlungshysterese) und wird als eine Änderung des Deformationsgrades der WO_6-Oktaeder im WO_3-Gitter gedeutet.

The thermal decomposition of ammonium paratungstates into WO_3 is studied by X-ray diffraction (making use of a UNICAM high-temperature camera), differential thermo-analytic investigations, and capacity measurements. It is shown that all ammonium paratungstates decompose into WO_3 via a state which is judged to be amorphous by the X-ray patterns and an ammonium-tungsten bronze. In this process, the colour of the annealed samples changes from light-yellow to orange. At 530° C sodium-ammonium paratungstate $4(NH_4)_2O \cdot Na_2O \cdot 12WO_3 \cdot 13H_2O$ is transformed into $NaO_{0.17}WO_3$, which possesses the structure of tetragonal WO_3, whereas the orange-red ammonium-tungsten bronzes go over to the tetragonal WO_3 structure via the structure of monocline tungsten trioxide. This transformation is found to be reversible (transformation hysteresis), and is related to a change of the deformation of WO_6 octahedra in the WO_3 lattice.

1. Einleitung

Bei der Herstellung von Wolfram für pulvermetallurgische Zwecke wird zur Erzielung guter Oberflächeneigenschaften Ammoniumparawolframat im Luftstrom thermisch zu Wolframtrioxyd zersetzt. Über die bei diesem Zersetzungsprozeß ablaufenden strukturellen Umwandlungen ist bisher wenig bekannt. Da die bei diesen Umwandlungsprozessen auftretenden Strukturänderungen im Hinblick auf die gefügeabhängigen physikalischen und technischen Eigenschaften des Wolframs von großem Interesse sind, wurden eingehende Untersuchungen dieser Prozesse durchgeführt, über die im folgenden berichtet wird.

2. Ausgangsmaterial

Die folgenden Untersuchungen wurden an vier verschiedenen Ammoniumparawolframaten durchgeführt, die durch Kristallisation sowie durch Fällung aus Ammoniumwolframatlösung mit Salzsäure unter verschiedenen physikalisch-chemischen Bedingungen dargestellt wurden. Die Angaben über die chemische Zu-

Tabelle 1
Zusammenstellung der verwendeten Ammoniumparawolframate

	Kristall-fraktion I	Kristall-fraktion II	Kristall-fraktion III	Kristall-fraktion IV
chemische Formel	$4\,(NH_4)_2O \cdot Na_2O \cdot 12WO_3 \cdot 13H_2O$	$5\,(NH_4)_2O \cdot 12\,WO_3 \cdot 7\,H_2O$	$5\,(NH_4)_2O \cdot 12\,WO_3 \cdot 5\,H_2O$	$5\,(NH_4)_2O \cdot 12\,WO_3 \cdot 11\,H_2O$
Kristall-klasse	rhombisch-bi-pyramidal mmm	triklin-pinakoidal $\bar{1}$	monoklin-prismatisch 2/m	rhombisch-bipyramidal mmm
Bildungs-bedingungen	Kristallisation und Fällung aus Na-haltiger Ammoniumwolframatlösung bei Zimmertemperatur	Fällung aus 5—15%-iger Ammoniumwolframatlösung bis 50 °C	Fällung aus Ammonium-wolframatlösung über 50 °C	Kristallisation aus verdünnter Ammoniumwolframatlösung bei Zimmertemperatur
morphologische Gestalt	dünntafelige Platten	tafelige Kristalle, gestreckt nach [100]	dicktafelige Platten	lange nadelförmige Kristalle

sammensetzung sowie die kristallographischen und röntgenographischen Daten stützen sich auf die Untersuchungen von M. Hähnert [1a, 1b]. Eine Übersicht über die verwandten Verbindungen zusammen mit den ermittelten Kristallklassen und den Bildungsbedingungen ist in Tabelle 1 wiedergegeben. — Es sei darauf hingewiesen, daß die untersuchten Kristallfraktionen als Zwischenprodukte bei der Herstellung von Wolfram für die Glühlampen- und Röhrenindustrie auftreten.

3. Mikroskopische Voruntersuchungen

Die thermische Abspaltung von Wasser und Ammoniak aus dem Parawolframatgitter beginnt schon bei 60 °C bzw. 80 °C und erfolgt im allgemeinen stufenweise, was durch thermogravimetrische Messungen (Glühverlust in Abhängigkeit von der Temperatur) mit einer Thermowaage der Firma Amsler nachgewiesen werden konnte.

Mikroskopisch macht sich der Beginn dieser Reaktion in einer Faserung der Kristalle in der Spaltrichtung bemerkbar, die sich mit zunehmender Temperatur immer mehr verdichtet, wobei die ursprüngliche Kristallgestalt vollkommen erhalten bleibt.

Bei einer Aufheizgeschwindigkeit von 4°/min konnte dieser Mechanismus mit Hilfe eines Mikroheiztisches besonders gut bei den plattenförmigen Parawolframaten der Kristallfraktion I beobachtet werden (Fig. 1). — Am Anfang der Aufheizung liegt eine gewisse Induktionsperiode (Fig. 1a), in der die Bildungsgeschwindigkeit von Reaktionskeimen sehr klein ist. Ihr schließt sich dann eine beschleunigte Periode an. Hierbei nimmt die Geschwindigkeit mit einer hohen Potenz der Zeit zu. Die Grenzfläche durchwandert den Kristall mit außerordentlicher Schnelligkeit, wobei sie sich aufteilt und entlang der Diskontinuitäten des Kristalls fortpflanzt. Dieser Vorgang wird mikroskopisch im Auftreten einer deutlichen Fase-

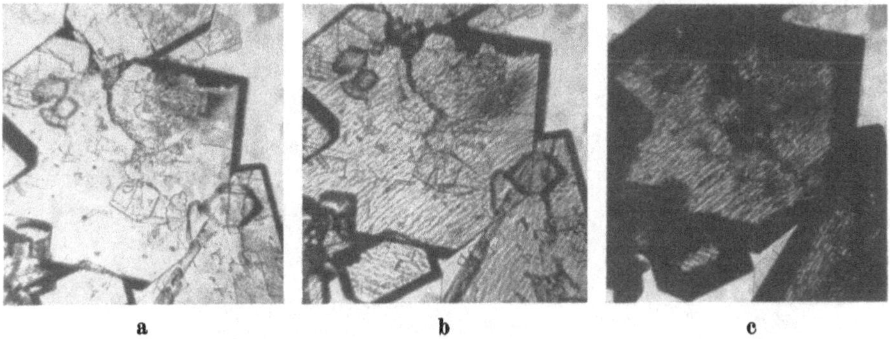

a) durchsichtige unzersetzte Kristalle b) Beginn der Faserung nach [001] c) Fortschreitende Zersetzung von außen nach innen

Fig. 1. Mikroskopische Zersetzungsbilder des dünnplattigen Natrium-Ammoniumparawolframates der Kristallfraktion I

rung in der Spaltrichtung [001] sichtbar (Fig. 1b). — Mit der weiteren Erhöhung der Temperatur bilden sich an den Kristallkanten neue Zersetzungsfronten aus, die dann langsam ins Innere des Kristalls fortschreiten (Fig. 1c), so daß schließlich die ursprünglichen Kristalle vollkommen ihre Durchsichtigkeit verlieren.

Diese Pseudomorphosen sind schon in älteren Arbeiten von E. F. ANTHON [2] und TH. KERNDT [3] erwähnt worden, während aber bisher in struktureller Hinsicht über die thermische Zersetzung der Ammoniumparawolframate nur wenige Untersuchungen vorliegen.

4. Thermodifferentialanalytische und temperaturabhängige Kapazitätsmessungen

Um einen Überblick über die sich bei diesem Prozeß abspielenden Effekte zu erhalten, wurden Kapazitätsmessungen nach der Resonanzmethode in Abhängigkeit von der Temperatur und differential-thermoanalytische Untersuchungen (DTA) durchgeführt (Fig. 2, 3, 4 und 5).

Die in den DTA-Diagrammen bei niederen Temperaturen ersichtlichen endothermen Ausschläge (A) sind vor allen Dingen auf Wasser- bzw. Ammoniakabgabe zurückzuführen. Diesen Reflexen entsprechen in noch etwas aufgelöster Form analoge Ausschläge in den Kapazitätskurven. Im Temperaturintervall von 250 bis 380 °C zeichnen sich in den DTA-Diagrammen endotherme Reaktionsbereiche ab, die durch Debye-Scherrer- und Zählrohrgoniometer-Aufnahmen als röntgenamorph nachgewiesen werden konnten (B). Es wurde festgestellt, daß der Temperaturbereich, in dem die Zersetzungsprodukte sich als röntgenamorph erwiesen, bei den einzelnen Salzen eine recht unterschiedliche Ausdehnung besitzt. Die bei etwa 400 °C auftretenden Ausschläge in den DTA-Diagrammen (C) sind wahrscheinlich dem exothermen Aufbau einer neuen Struktur zuzuordnen. Innerhalb des Teperaturbereiches von 500 bis 800 °C konnten thermodifferentialanalytisch keine weiteren Gitterumwandlungen mehr nachgewiesen werden. Dagegen zeigen sich in den Kapazitätskurven zwischen 450 °C und 600 °C noch einige Reflexe, die, wie röntgenographische Untersuchungen ergaben, ebenfalls mit dem Aufbau einer neuen Struktur bzw. weiteren Umwandlungen im Gitter verbunden sind. — Bei noch höheren Temperaturen wird die Leitfähigkeit so groß, daß die Kapazitätswerte unter den Meßbereich absinken.

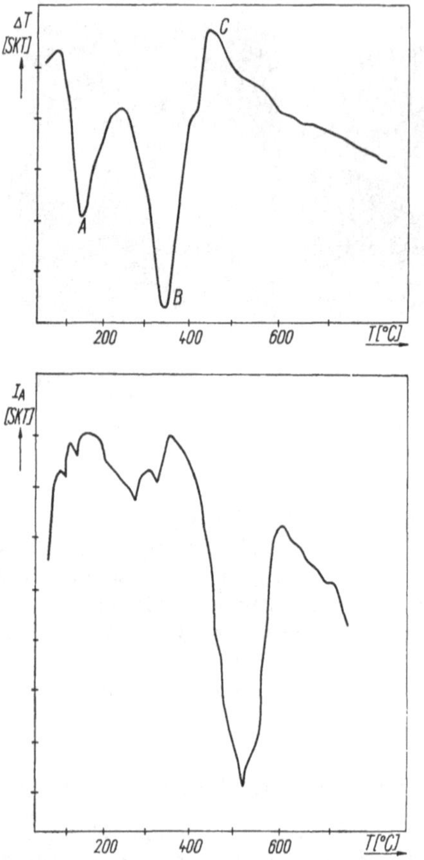

Fig. 2. DTA- und Kapazitäts-Temperatur-Verlauf bei der thermischen Zersetzung der Kristallfraktion I

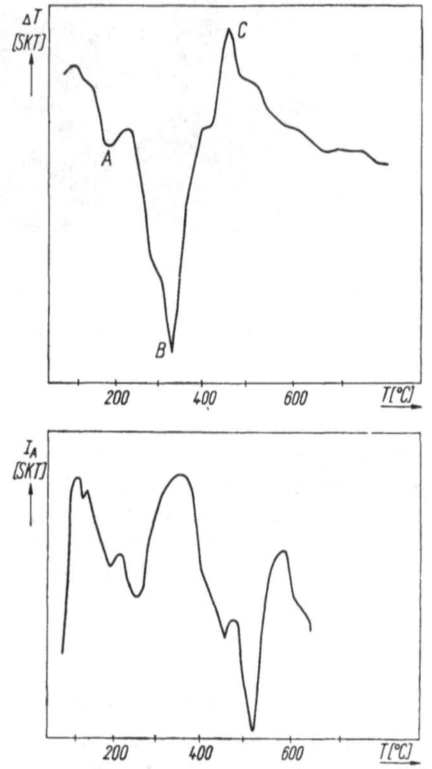

Fig. 3. DTA- und Kapazitäts-Temperatur-Verlauf bei der thermischen Zersetzung der Kristallfraktion II

5. Röntgenographische Untersuchungen

Alle im Temperaturbereich von 250 bis 800 °C sich abspielenden strukturellen Veränderungen wurden durch Debye-Scherrer- und Zählrohrgoniometer-Aufnahmen sowie mit der UNICAM-Hochtemperaturkamera auch hinsichtlich ihrer Reversibilität untersucht. Dabei zeigten die einzelnen Verbindungen sowohl in bezug auf den Umwandlungsmechanismus als auch hinsichtlich der Umwandlungstemperaturen deutliche Unterschiede.

Wie schon angedeutet wurde, verläuft die Zersetzung der Ammoniumparawolframate unter H_2O- und NH_3-Abspaltung über einen röntgenamorphen Bereich, der bei den einzelnen Kristallfraktionen folgende Ausdehnung besitzt:

Kristallfraktion I $4\,(NH_4)_2O \cdot Na_2O \cdot 12\,WO_3 \cdot 13\,H_2O$	270 bis 340 °C
Kristallfraktion II $5\,(NH_4)_2O \cdot 12\,WO_3 \cdot 7\,H_2O$	250 bis 350 °C

Kristallfraktion III	320 bis 380 °C
$5\,(NH_4)_2O \cdot 12\,WO_3 \cdot 5\,H_2O$	
Kristallfraktion IV	300 bis 370 °C
$5\,(NH_4)_2O \cdot 12\,WO_3 \cdot 11\,H_2O$	

Bei 370 °C bzw. 380 °C treten neue Beugungsreflexe auf, die mit zunehmender Temperatur schärfer werden (Fig. 6, 7, 8, 9). Die Zersetzungsprodukte haben grau bis graugelbe Farbe und ergeben Röntgendiagramme, die mit einer von J. NEUGEBAUER, A. HEGEDÜS und T. MILLNER [4] beschriebenen Ammoniumwolframbronze identisch sind. — Mit zunehmender Temperatur findet eine Farbänderung der Glühprodukte statt, und zwar vertieft sich die Farbe des zersetzten Natrium-Ammoniumparawolframates der Kristallfraktion I von grau-gelb bei 420 °C über

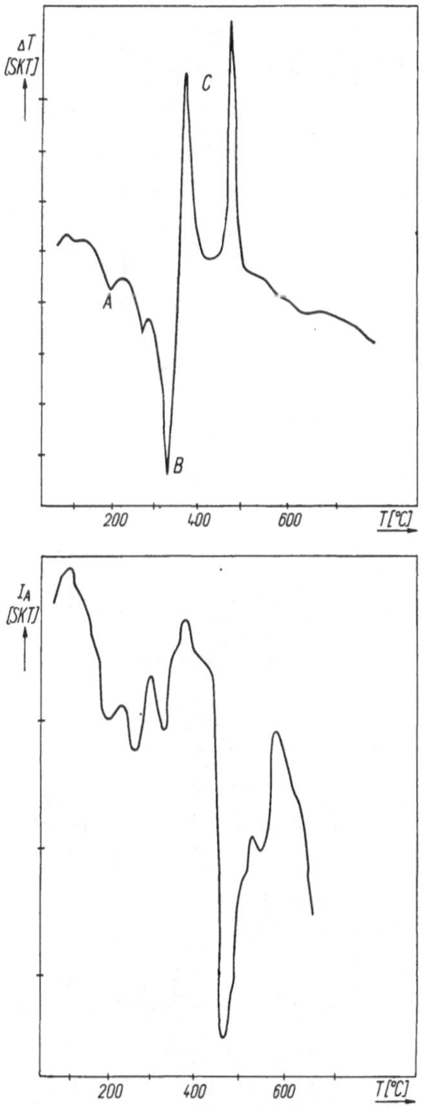

Fig. 4. DTA- und Kapazitäts-Temperatur-Verlauf bei der thermischen Zersetzung der Kristallfraktion III

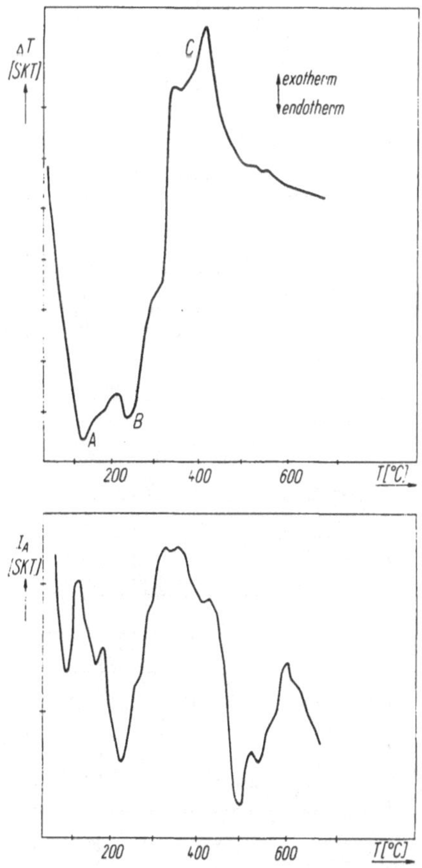

Fig. 5. DTA- und Kapazitäts-Temperatur-Verlauf bei der thermischen Zersetzung der Kristallfraktion IV

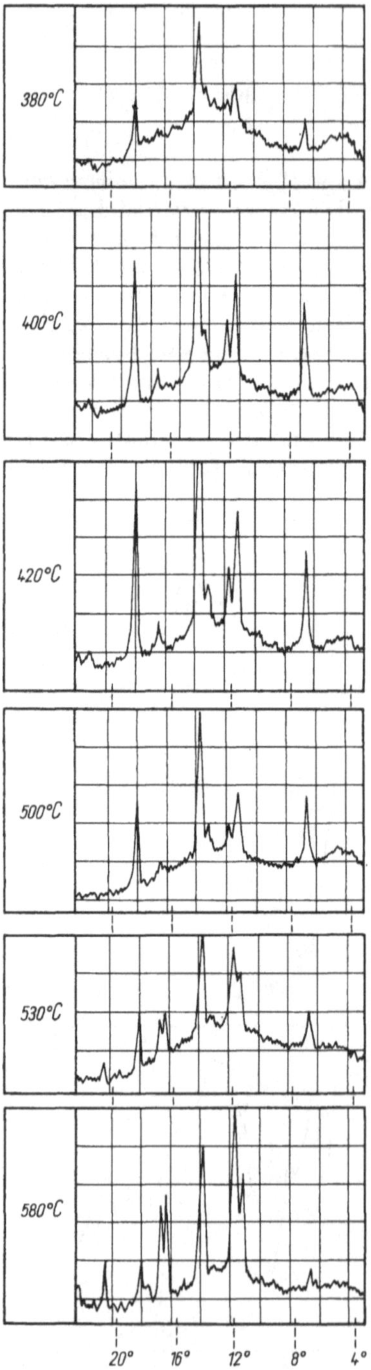

Fig. 6. Zählrohrgoniometer-Aufnahmen der Zersetzungsprodukte von Kristallfraktion I

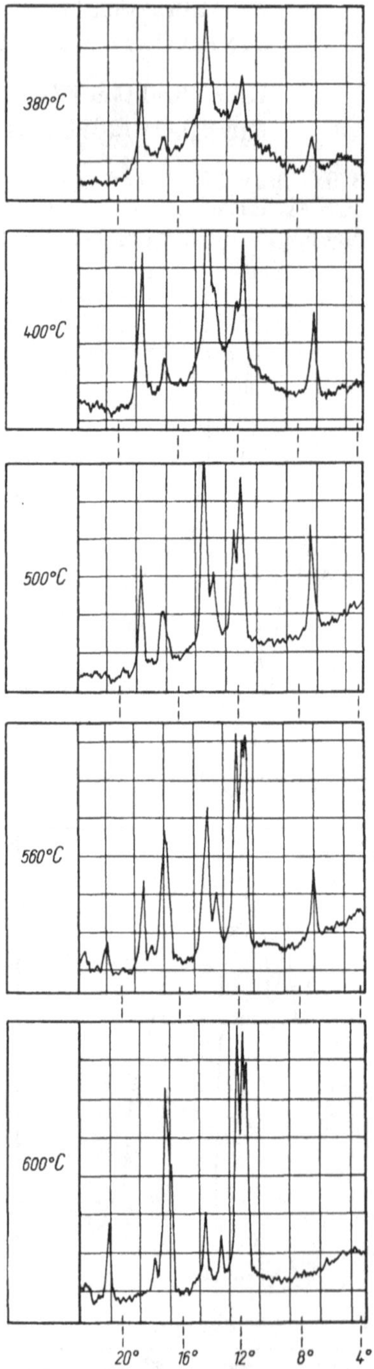

Fig. 7. Zählrohrgoniometer-Aufnahmen der Zersetzungsprodukte von Kristallfraktion II

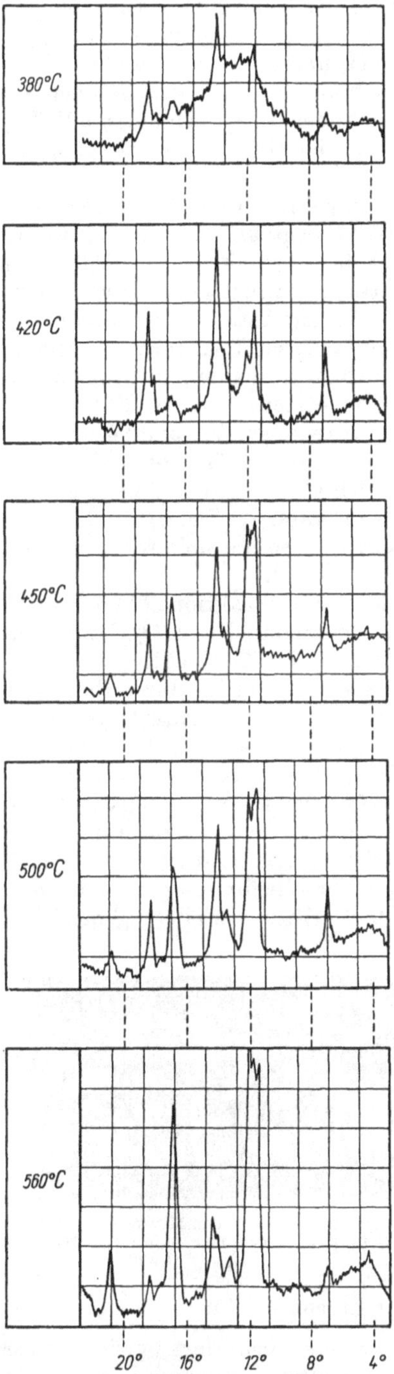

Fig. 8. Zählrohrgoniometer-Aufnahmen der Zersetzungsprodukte von Kristallfraktion III

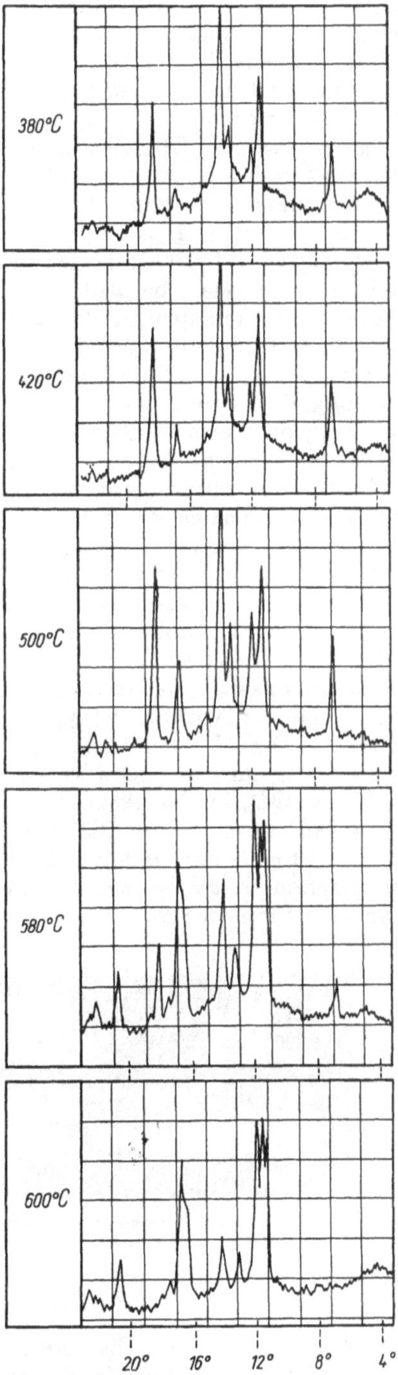

Fig. 9. Zählrohrgoniometer-Aufnahmen der Zersetzungsprodukte von Kristallfraktion IV

lindgrün (480 °C) bis zu dunkelgrün (bei einer Temperatur von 560 °C). Eine andere Farbänderung, und zwar von hellgelb über goldgelb nach orange, ist bei der Verglühung der Kristallfraktionen II, III, und IV zu beobachten. Bei 500 °C bzw. 530 °C tritt dann ein nochmaliger Farbumschlag von orange nach zitronengelb auf, der mit dem Übergang zum monoklinen WO_3 verbunden ist. Die Glühverluste betragen in Übereinstimmung mit den Untersuchungsergebnissen von T. Millner und J. Neugebauer 1,3%.

Diese sogenannte „orangerote Ammoniumwolframbronze" mit der chemischen Zusammensetzung $(NH_4)_{0,06} \cdot WO_3 \cdot (H_2O)_{0,11}$ liegt als Zersetzungsprodukt der Ammoniumparawolframate II, III und IV bei ungefähr 500 bis 530 °C vor. Ihr Gitter, das aber schon bei 380 °C aufgebaut wird, ist jedoch mit zunehmender Temperatur starken strukturellen Veränderungen unterworfen. Das betrifft einmal den hohen Fehlordnungsgrad und zum anderen aber auch den allmählichen Übergang in das monokline Wolframtrioxyd, was aus den Zählrohrdiagrammen der Figuren 6, 7, 8 und 9 ersichtlich ist. Die letzten Reste der Fehlordnung verschwinden jedoch erst bei Glühtemperaturen zwischen 560 und 600 °C.

Das Parawolframat der Kristallfraktion I geht ebenfalls bei 380 bis 400 °C in eine Ammoniumwolframbronze über, die sich aber bei etwa 530 °C gleich in das Gitter des tetragonalen Wolframtrioxydes umwandelt (Fig. 6).

Mit einer Hochtemperatur-Pulverkamera wurden die weiteren Umwandlungen vom monoklinen zum tetragonalen WO_3 untersucht.

Röntgenographisch konnte für das aus den Kristallfraktionen II und IV über die Stufe der Ammoniumwolframbronzen gebildete monokline WO_3 (P 2_1/a) eine Umwandlung in die tetragonale Form (P 4/nmm) bei 700° nachgewiesen werden, während das aus dem 5-er Hydrat der Kristallfraktion III durch thermische Zersetzung gebildete Wolframtrioxyd sich erst bei 750° in die tetragonale Struktur umwandelt. Diese Umwandlung verläuft reversibel, wobei jedoch eine Umwandlungshysterese auftritt. Beim Verlauf der Umwandlung vom tetragonalen zum monoklinen WO_3 infolge Abkühlung beträgt die Umwandlungstemperatur für alle aus den verschiedenen Parawolframaten gebildeten Wolframoxyde 660 °C.

In Fig. 10 sind zwei mit der UNICAM-Hochtemperaturkamera angefertigte Pulverdiagramme, die bei 800 °C und 500 °C aufgenommen wurden, in Verbindung mit den für beide Strukturen ermittelten *d*-Werten wiedergegeben (Tabelle 2).

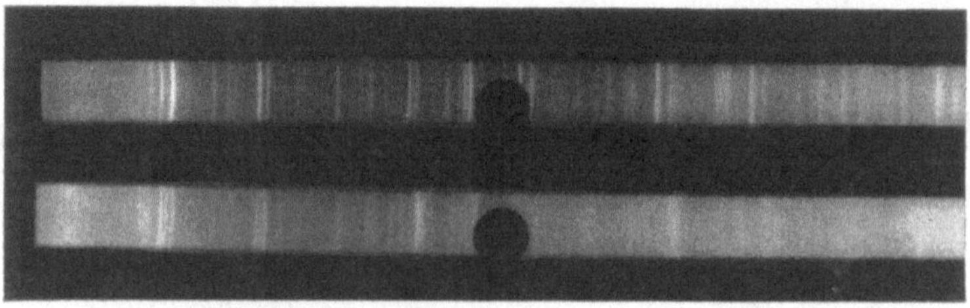

Fig. 10. UNICAM-Hochtemperaturaufnahmen des aus Kristallfraktion II verglühten WO_3 (ungefilterte Cu-Strahlung, 40 kV, 27 mA, 10 h) bei 800 °C (oben) und bei 500 °C (unten)

6. Diskussion der Ergebnisse

Im folgenden sollen nun die einzelnen Prozesse diskutiert werden, die sich bei der Bildung von Wolframtrioxyd durch thermische Zersetzung der Ammoniumparawolframate abspielen.

Tabelle 2

Übersicht über die aus den UNICAM-Aufnahmen ermittelten *d*-Werte des monoklinen und tetragonalen WO_3 (Glühprodukte der Kristallfraktion II)

500 °C monoklines WO_3		800 °C tetragonales WO_3	
d[Å]	I/I_1	d[Å]	I/I_1
3,84	100	3,89	40
3,74	95	3,70	100
3,65	100	3,13	30
3,41	5	2,68	85
3,34	50	2,62	40
3,10	50	2,18	45
2.98	50	2,01	30
2,68	75	1,95	20
2,66	60	1,86	50
2,62	90	1,83	40
2,53	35	1,73	35
2,51	40		
2,17	50		

Es handelt sich dabei um folgende Vorgänge:

1. der Übergang von der Parawolframatstruktur zur Ammoniumwolframbronze,
2. die Bildung des monoklinen WO_3,
3. die Umwandlung vom monoklinen zum tetragonalen Wolframtrioxyd sowie die hierbei auftretende Umwandlungshysterese.

Der strukturelle Aufbau des Parawolframations, der aus Fig. 11a ersichtlich ist und von I. Lindqvist [5] im Jahre 1952 untersucht wurde, stellt eine recht komplizierte Anordnung dar, in der WO_6-Oktaeder teils über die Ecken und teils über die Kanten verknüpft sind.

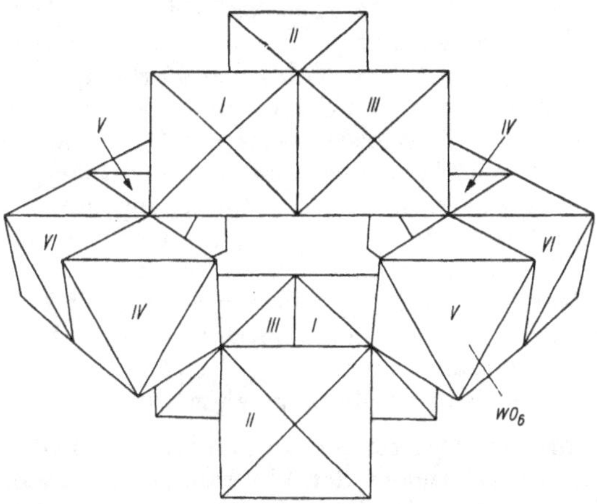

Fig. 11a. Struktureller Aufbau des Parawolframations (nach Lindqvist)

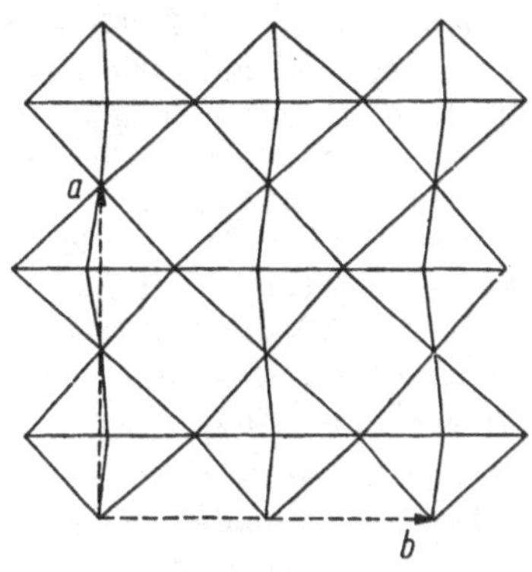

Fig. 11b. WO_3-Struktur (nach Bräkken); (Projektion auf (001))

Beim Gitteraufbau der sogenannten Wolframbronzen und auch beim Wolframtrioxyd [6] sind diese WO_6-Oktaeder dagegen nur über die Ecken miteinander verbunden (Fig. 11b). Diese Anordnung entspricht dem Perowskittyp (ABO_3), nur daß im WO_3 die A-Plätze nicht besetzt sind.

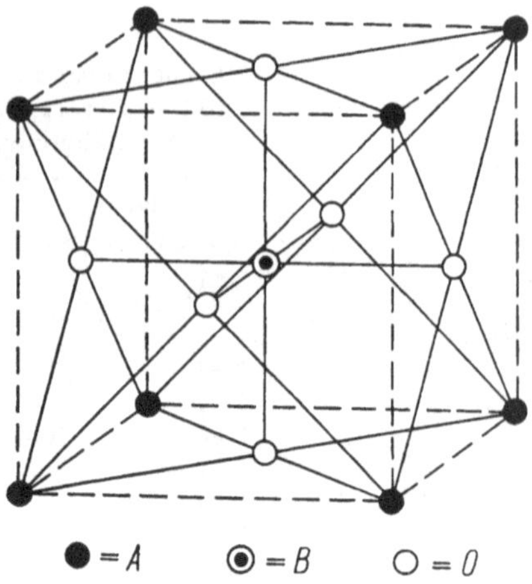

Fig. 12. Perowskitstruktur, ABO_3

Die Perowskitstruktur wird ja bekanntlich aus einer kubischen bzw. pseudokubischen Elementarzelle gebildet, wobei in den Ecken des Würfels die relativ großen A-Kationen liegen, während in der Mitte des Würfels ein relativ kleines B-Ion sitzt und die Würfelflächen von Sauerstoffionen zentriert werden (Fig. 12). Jedes A-Ion ist in dieser Struktur von zwölf und jeses B-Ion von sechs Sauerstoffnachbarn oktaedrisch umgeben. Nach V. M. Goldschmidt [7] liegt für den Existenzbereich des Perowskitgitters eine gewisse Toleranz vor, die durch die Beziehung zwischen den Ionenradien einer im Perowskittyp kristallisierenden Verbindung gegeben ist:

$$R_A + R_O = t\sqrt{2} \cdot (R_B + R_O)$$

Hierin sind R die entsprechenden Ionenradien und t der sogenannte Toleranzfaktor, der die Grenzwerte 0,8 und 1,1 nicht unter- bzw. überschreiten darf, da sonst andere Gittertypen auftreten. Die Wertigkeiten der Kationen spielen in der Perowskitstruktur eine sekundäre Rolle. Jedes Ionenpaar muß jedoch eine Wertigkeitssumme haben, die die Elektronentralität der Gesamtstruktur gewährsleistet, wie z. B. Kationenpaare mit den Wertigkeiten $1 + 5$, $2 + 4$ oder $3 + 3$.

Bei den Wolframbronzen werden nun die A-Positionen z. B. mit Natriumionen ($R_{Na^+} = 0{,}98$ Å) in den bekannten Natrium-Wolframbronzen besetzt. Die Zusammensetzung der kubischen Natrium-Wolframbronze entspricht der Formel Na_xWO_3, wobei x zwischen 1 und 0,3 schwanken kann. Die Bronze mit der chemischen Zusammensetzung $NaWO_3$ ($x = 1$) hat goldgelbe Farbe und eine Gitterkonstante von 3,850 Å. Mit fallendem Wert für x verändert sich auch die Farbe über rot und violett bis zu dunkel-blauviolett (bei $x = 0{,}3$). Zusammen mit dieser Farbänderung ist eine kontinuierliche Verkleinerung der Gitterparameter und eine Zunahme von W^{+6}-Ionen sowie eine Verminderung der Na^{+1}-Ionenzahl nachweisbar. Dabei wird eine immer größere Anzahl der Na^{+1}-Lagen unbesetzt, bis in den blauvioletten Bronzen nur noch etwa zwei Drittel der ursprünglichen Na^{+1}-Positionen von Natriumionen eingenommen werden. Bei noch geringerem Alkaligehalt tritt schließlich eine tetragonale Natrium-Wolframbronze auf, für die G. Hägg [8] eine Zusammensetzung von $Na_{0,2-0,3}WO_3$ angibt, und die bisher als natriumärmstes Endglied der Bronzereihe angesehen wurde.

Die gesamten Natrium-Wolframbronzen besitzen ein sehr stabiles W-O-Gitter, in dessen Zwischenräume eine mit der Wertigkeit der Wolframionen veränderliche Anzahl von Natriumionen eingelagert werden kann. So ist es auch schwierig, einer gewissen Substanz dieser Art eine bestimmte Formel zuzuschreiben. Ein

Wegfall aller Na^{+1}-Ionen im Gitter würde dann einen kontinuierlichen Übergang zwischen den Bronzen und dem WO_3 bedeuten.

Aus dem Glühprodukt des Natrium-Ammoniumparawolframates der Kristallraktion I entsteht bei 530 °C eine Verbindung der Zusammensetzung $Na_{0,17}WO_3$, die schon die tetragonale Struktur des Wolframtrioxydes aufweist. Die Natriumionen sind in diesem Gitter statistisch auf die entsprechenden Gitterplätze verteilt, wobei aber der Natriumgehalt sich noch unter dem für das Auftreten der Natrium-Wolframbronzen liegenden Grenzwert befindet. Es scheint sich also bei diesem Produkt um ein solches Verbindungsglied zwischen den Natrium-Wolframbronzen und dem WO_3 zu handeln.

Die Gitterplätze der Natriumionen können nun, entsprechend der Goldschmidtschen Beziehung, auch von Ammoniumionen ($R_{NH_4^+}$ + = 1,43 Å) eingenommen werden, sobald der Umbau zur Perowskitstruktur stattgefunden hat. Der Übergang von der Ammoniumparawolframatstruktur zum Perowskitgitter ist jedoch nur über eine vollkommene Umgruppierung der WO_6-Oktaeder möglich, was röntgenographisch im Auftreten eines amorphen Bereiches zwischen 250 °C und 380 °C zum Ausdruck kommt und sich differentialthermoanalytisch durch entsprechende Ausschläge bei 400 °C abzeichnet, die dem exothermen Aufbau eines neuen Gitters zuzuordnen sind.

Die von T. Millner und Mitarbeiter als „orangerote Ammoniumwolframbronze" bezeichnete Verbindung mit der chemischen Zusammensetzung $(NH_4)_{0,06} \times \times WO_3 \cdot (H_2O)_{0,11}$ besitzt eine tetragonale Struktur mit den Gitterparametern: $a_0 = 7,60$ Å und $c_0 = 6,36$ Å. Bei etwa 450 bis 550 °C entweichen die letzten Ammoniak- und Wasserreste aus dem Gitter (Glühverlust: 1,3%; NH_3: 0,45%, H_2O: 0,85%), und es bildet sich monoklines WO_3. Dieser Vorgang ist mit einem Farbumschlag von orangerot nach zitronengelb verbunden und durch Kapazitätsänderungen nachweisbar.

Für das monokline WO_3 betragen die Gitterkonstanten: $a_0 = 7,285$ Å, $b_0 = 7,517$ Å, $c_0 = 3,835$ Å ($\beta = 90° 90'$), während die Gitterparameter des tetragonalen Trioxyds bei $a_0 = 7,44$ Å und $c_0 = 3,88$ Å liegen [9, 10, 11].

Die sich bei 700 °C bzw. 750 °C abspielende Umwandlung des monoklinen pseudorhombischen Wolframtrioxyds in die tetragonale Form läßt sich als eine Änderung des Deformationsgrades der WO_6-Oktaeder deuten, wenn man die geringfügigen Änderungen der Gitterparameter betrachtet. Das gleiche gilt auch für den Umwandlungsmechanismus in umgekehrter Richtung (beim Übergang von der tetragonalen zur monoklinen Struktur).

Neben diesen untersuchten Modifikationsänderungen werden in der Fachliteratur noch einige andere WO_3-Modifikationen angegeben, die jedoch bei der thermischen Zersetzung der Ammoniumparawolframate infolge der Lage ihrer Existenzbereiche nicht auftreten konnten.

Herrn Prof. Dr. W. Kleber danke ich für die wertvollen Anregungen und sein förderndes Interrsse an dieser Arbeit.

Literatur

[1a] M. Hähnert, Naturwiss. 48, 453 (1961).
[1b] M. Hähnert und G. Kohlstrung, Abh. Dtsch. Akad. Wiss. Berlin (im Druck).
[2] E. F. Anthon, J. prakt. Chemie 8, 399 (1836).

[3] Th. Kerndt, J. prakt. Chem. **41**, 190 (1847).
[4] J. Neugebauer, A. Hegedüs und T. Millner, Z. anorg. allg. Chemie **302**, 50 (1959).
[5] I. Lindqvist, Acta Cryst. **5**, 667 (1952).
[6] H. Bräkken, Z. Krist. **78**, 484 (1931).
[7] W. Kleber, Einführung in die Kristallographie, 4. Aufl., 1961, S. 192.
[8] G. Hägg, Z. physik. Chem. **B 29**, 192 (1935).
[9] Structure Rep. **15**, 190 (1951).
[10] W. L. Kehl, J. appl. Phys. **23**, 212 (1952).
[11] G. Hägg und A. Magnéli, Arkiv för Kemi, Min. Geol. **19 A**, 1 (1954).

(Received November 7, 1961)

Institut für Magnetische Werkstoffe der Deutschen Akademie der Wissenschaften zu Berlin, Jena, Forschungsgemeinschaft

Die Temperaturabhängigkeit des elektrischen Widerstandes und der thermoelektrischen Kraft von Magnesiumeisen-Spinellen in Abhängigkeit vom Reduktionsgrad

Von

H. SCHRÖDER

Die modellmäßigen Vorstellungen über den Leitungsmechanismus von Ferriten basieren bekanntlich auf der VERWEYschen Annahme eines "leichten" Elektronenplatzwechselvorganges zwischen gleichartigen Kationen unterschiedlicher Wertigkeit auf äquivalenten Gitterplätzen (1). Danach sollte bei Ferriten, die als wertigkeitsvariable Kationen nur Fe^{3+} - und Fe^{2+}-Ionen enthalten, die elektrische Leitfähigkeit in erster Linie durch die Konzentration der Fe^{2+}-Ionen bestimmt werden. Da über die Konzentrationsabhängigkeit des spezifischen elektrischen Widerstandes ϱ, und ebenso der differentiellen Thermokraft α, bisher noch keine zusammenhängenden Untersuchungen bekannt sind, wurden derartige Messungen in Verbindung mit dem Temperaturverhalten dieser Größen an polykristallinen Magnesiumeisen-Spinellen der Ausgangszusammensetzung x MgO + (1-x) Fe_2O_3 ($x \leq 0,52$) durchgeführt. Ferrite dieser Probenreihe erlauben wegen der thermischen Stabilität des Mg^{2+}-Ions eine exakte Fe^{2+}-Bestimmung. Letztere erfolgte auf thermogravimetrischem Wege durch reoxydatives Anlassen sowie vergleichsweise durch Titration mit 0,01 n Cer(4)sulfatlösung (2). Beide Methoden lieferten innerhalb der Toleranzen die gleichen Ergebnisse. Der Fe^{2+}-Gehalt der Proben wurde über den Reduktionsgrad durch geeignete Glühbehandlung (Temperatur, Sauerstoffpartialdruck) variiert. Die von der Endbrandtemperatur auf ca. 500 °C "partiell" abgeschreckten und anschließend auf Raumtemperatur langsam abgekühlten Proben waren homogen und ausscheidungsfrei. In Tab. I sind angeführt: die Ausgangszusammensetzung x, die Abschrecktemperatur ϑ_A sowie die Fe^{2+}-Konzentration N^* pro 1/8 Elementarzelle. Die auf 1 cm^3 bezogene Fe^{2+}-Konzentration N berechnet sich zu $N = 1,35 \cdot 10^{22}$ N^*.

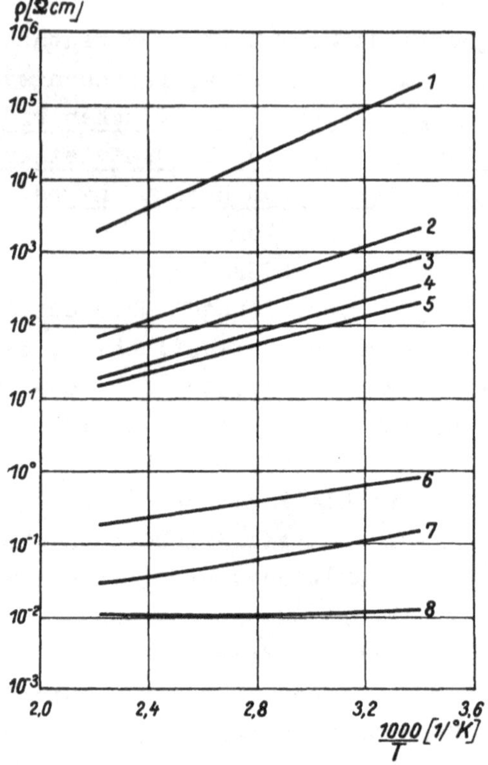

Fig. 1: Spezifischer elektrischer Widerstand ϱ in Abhängigkeit von der reziproken absoluten Temperatur T für verschiedene Proben der Ausgangszusammensetzung x (s. Tabelle I)

Tabelle I

Probe Nr.	x [Mol]	ϑ_A [°C]	N^* [Atome/$\frac{1}{8}$ EZ]
1	0,50	800	3 10^{-3}
2	0,50	1150	1,6 10^{-2}
3	0,50	1250	1,9 10^{-2}
4	0,50	1300	2,3 10^{-2}
5	0,50	1350	3,0 10^{-2}
6	0,40	1350	2,7 10^{-1}
7	0,25	1350	5,0 10^{-1}
8	0	1350	1,00

Die Glühbehandlung der Proben Nr. 1 bis 5 erfolgte in Luft, der Proben Nr. 6 bis 8 mit Vakuumcharakteristik.

Die elektrischen Messungen wurden an Stäbchen von etwa 3,5 mm Durchmesser und 28 mm Länge zwischen Raumtemperatur und 200 °C, zum Teil in Vakuum, als Simultanmessungen in ϱ und α durchgeführt. Als elektrische Kontakte bewährten sich Platin-Sinterelektroden mit angeschweißten Zuführungs(Thermoelement)drähten.

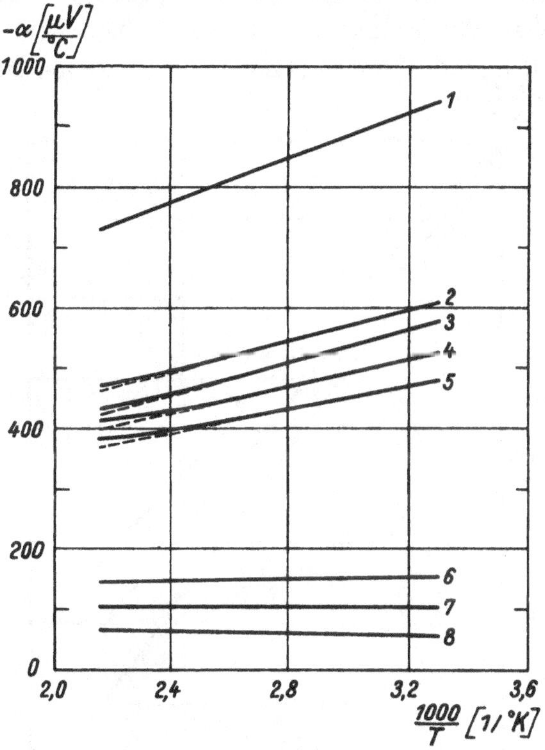

Fig. 2: Differentielle Thermokraft α (gegen Platin) in Abhängigkeit von der reziproken absoluten Temperatur T für die Probenreihe nach Fig. 1

Die Genauigkeit der Widerstandsmessungen betrug bei Gleich- oder Wechselspannung (125 Hz) 0,2 % bis 10 %, entsprechend dem Betrag des zu messenden Widerstandes, die der differentiellen Thermokraft bei einem Temperaturgradienten von 7 °C längs der Proben etwa 2 %. Alle Proben erwiesen sich nach dem negativen Vorzeichen der Thermokraft als n-leitend.

Die Meßergebnisse sind in den Übersichtsfiguren 1 und 2 wiedergegeben. Bei den Proben Nr. 1 bis 5 ist die Linearität der lg ϱ (1/T)-Darstellung innerhalb der Meßgenauigkeit gut erfüllt. Die Proben mit höheren Fe^{2+}-Gehalten zeigen mit wachsender Temperatur einen schwächeren Abfall, Magnetit (Probe Nr. 8) wechselt schließlich bei 100 °C das Vorzeichen des Temperaturkoeffizienten. Auf diesen oxydationsabhängigen Effekt wurde bereits an anderer Stelle hingewiesen (3). Ein lineares Verhalten zwischen Thermokraft und reziproker absoluter Temperatur wird exakt nur bei der hochohmigsten Probe Nr. 1 gefunden.

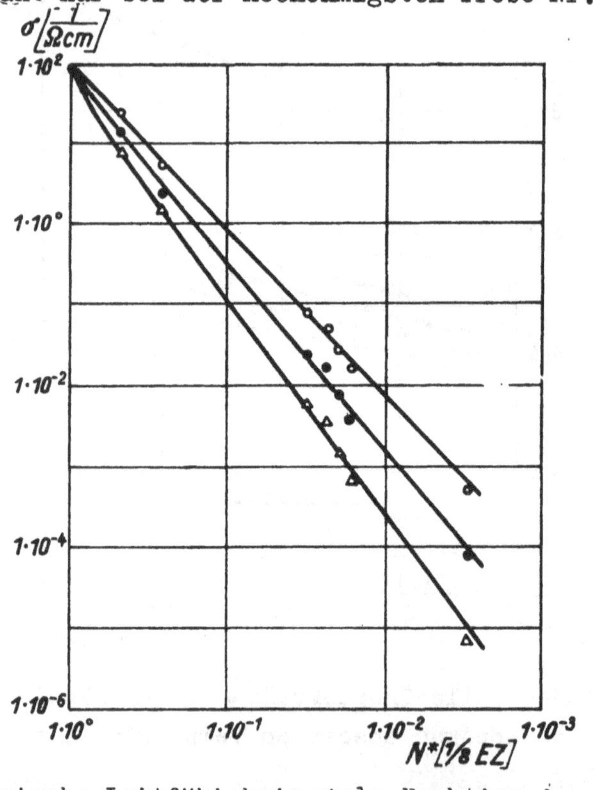

Fig. 3: Elektrische Leitfähigkeit σ als Funktion der Fe^{2+}-Konzentration N^* pro 1/8 Elementarzelle bei drei verschiedenen Temperaturen ▵ 30 °C • 100 °C ∘ 180°C

Probe Nr. 7 ist im gesamten Temperaturbereich temperaturunabhängig in α. Die Thermokraft von Magnetit steigt mit großer Genauigkeit linear mit der Temperatur.

Aus den gewonnenen Ergebnissen können die gesuchten Abhängigkeiten σ (N) und α (N) entnommen werden (Fig. 3 und 4).

Für nicht zu große Fe^{2+}-Konzentrationen ergeben sich die funktionellen Beziehungen

$$\sigma = \frac{1}{\varrho} = \text{const.}\ N^{A(T)} \qquad \text{und} \qquad -\alpha = \text{const.} -\ln N^{B(T)}$$

mit A und B als temperaturabhängigen Größen. Für α (σ) folgt demnach bei festgehaltenem N

$$-\alpha = \text{const.} - \ln \sigma^{B(T)/A(T)}$$

Auf die Diskussion dieser Zusammenhänge soll in einer späteren Arbeit eingegangen werden.

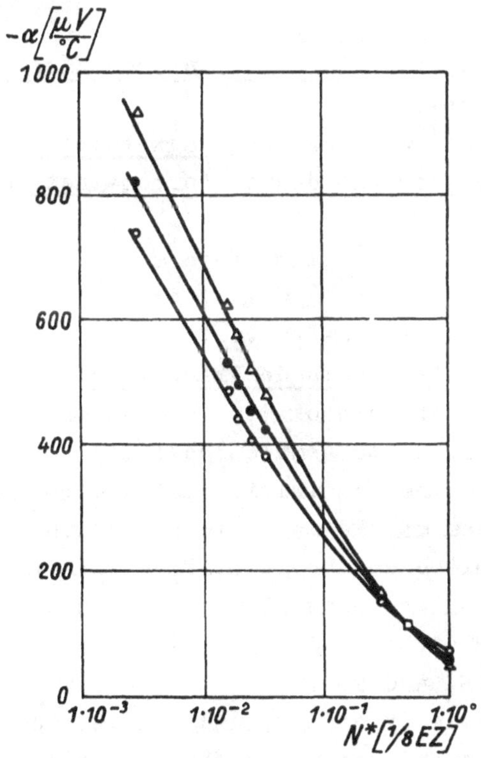

Fig. 4: Differentielle Thermokraft α als Funktion der Fe^{2+}-Konzentration N^* pro 1/8 Elementarzelle bei drei verschiedenen Temperaturen ▵ 30 °C • 100 °C ∘ 180 °C

Literatur

(1) E.J.W. VERWEY und J.H. de BOER, Rec. Trav. chim. 55, 531 (1936).

(2) H. SCHRÖDER, Z. Chem. (im Druck).

(3) H. SCHRÖDER, phys. stat. sol. 1. K152 (1961).

(Received December 11, 1961)

Pre-printed Titles and Abstracts of Original Papers

Papers to be published in "physica status solidi", No. 2

Review Article

W. ANDRÄ, Z. FRAIT, V. KAMBERSKY, Z. MALEK, U. RÖSLER, W. SCHÜPPEL, P. SUDA, L. VALENTA und G. VOGLER, Magnetische dünne Schichten (I)

1. W. ANDRÄ, Allgemeines
2. L. VALENTA, Theorie der spontanen Magnetisierung dünner Schichten
3. Z. MÁLEK und W. SCHÜPPEL, Magnetokristalline und induzierte Anisotropie dünner ferromagnetischer Schichten

Original Papers

J.P. SUCHET, Regles de Prevision de la Semiconductibilty dans les Composes d'Elements de Transition In a series of papers (1 to 5) and in a book (6) the author suggested a cristallochemical approach to semiconductivity. He applies here his conceptions to the tranisition metal compounds. A general discussion is given of the magnetic criterion, and shows that the magnetic coupling can be identified with the covalent part of the chemical bond responsible for the interaction. The binary compounds TB (types NaCl, NiAs and MnP), the derived defect compounds T_2B_3 and TB_2, the compounds TB_2 (types FeS_2) and $FeAs_2$), and some other compounds of various types are studied. Using the magnetic criterion and the generalized Mooser and Pearson's rule and computing the crystalline ionicity, one can find out, in each case, whether the compounds show metallic or semiconducting behaviour. Some informations can be obtained on the order of magnitude of the energy gap and on the probability of meeting with high electronic mobilities. The case of ternary and quaternary compounds is briefly treated.

N.G. EINSPRUCH, The Effects of Dried O_2 on the Surface

Conductance of Silicon In order to evaluate the effects of dried oxygen on the electrical transport properties of the silicon surface, ac field effect measurements on a CP-4 etched surface have been made. The equilibrium surface potential of a sample stored in room air undergoes a 12 mv p-type shift upon exposure to dried O_2. The field effect mobility changes from 0.11 (n-type) to 0.19 (p-type) cm^2/volt sec. After the sample is exposed to dried O_2, the applied electric field produces a total variation of the charge trapped in the surface states of 22 $m\mu$ coul/cm^2 with a corresponding variation in surface potential of 0.75 ($e\Phi/kT$ units).

W. LUDWIG, Zur Kinetik der durch optische Grundgitteranregung in einem Überschußhalbleiter erzeugten Raumladungen Die in einem kapazitiv isolierten, d.h. nicht direkt kontaktierten Überschußhalbleiter endlicher Länge durch einseitige optische Grundgitteranregung erzeugte Raumladung liefert durch Influenz über die senkrecht zur Einstrahlrichtung liegenden Isolierschichten an einem RC-Glied im Außenkreis einen meßbaren Spannungsabfall. Es wird der zeitliche Verlauf dieser Spannung für den Fall einer periodisch in der Zeit sich ändernden Anregungsintensität und für den Ein- bzw. Ausschaltvorgang einer konstanten Intensität berechnet.

Z. Morlin, Ein Beitrag zur Untersuchung der Photolyse von ZnS- und CdS-Einkristallen Die Zink- bzw. Kadmiumausscheidung an mit UV-Licht bestrahlten ZnS- und CdS-Einkristallen wurde mikroskopisch untersucht. Die ausgeschiedenen Metallteilchen bedecken die Oberfläche nicht gleichmäßig, vielmehr bildet das ausgeschiedene Zn bzw. Cd nicht zusammenhängende Inseln, die die Oberfläche nur teilweise bedecken. Bei ZnS dekorieren die Präzipitate die Wachstumsschichten. Elektronenmikroskopische Untersuchungen zeigten, daß der Ausscheidungsvorgang nach einer verhältnismäßig kurzen Bestrahlungszeit einsetzt. Die Abmessungen der gebildeten Keime sind jedoch sehr gering. An Hand fotografischer Aufnahmen wurden einige Messungen zur Feststellung des quantitativen Verlaufs der Ausscheidung durchgeführt. Eine fortgesetzte Bestrahlung der Proben führt zu einem Aufrauhen und später zu einem Aufbröckeln der Kristalle.

K. MEYER und M. KEUTEL, Elektronenmikroskopische Untersuchungen an mechanisch bearbeiteten und getemperten Steinsalzkristallen Bei der mechanischen Bearbeitung von (100)-Steinsalzoberflächen mit Edelkorundkörnern mit einer Geschwindigkeit von 220 cm • sec^{-1} und einem Durchmesser von 200 bis 250 μ treten an den Eingriffsorten intensive plastische Verformungen auf. Die nachfolgende Temperung in einer trockenen N_2-Atmosphäre bei verschiedenen Temperaturen zwischen 100° C und 520° C bewirkt eine Rückbildung in Richtung auf energieärmere, thermodynamisch stabile Zustände. Die verschiedenen kristallographischen Zwischenformen lassen sich bis Erreichen der endgültigen Gleichgewichtsform (100) übermikroskopisch verfolgen. Bei weiterer Temperaturerhöhung werden lokale Schmelzerscheinungen an der Oberfläche erkennbar.

Papers published in "Fizika Tverdogo Tela", No. 11

A.F. PLOTNIKOV, V.S. VAVILOV and L.S. SMIRNOV: Kinetics of Photoconductivity in Neutron-Irradiated p-Type Silicon The concentrations of the defects produced in p-type Si by fast neutron irradiation are determined. Values of their capture cross-sections for holes are obtained from which conclusions are drawn as to the charge states.

A.V. KESSENIKH: On the Influence of Spin Diffusion on the Dynamical Polarisation of Nuclear Spins The diffusion of a dynamical polarisation of nuclear spins ist studied theoretically allowing for a direct interaction with paramagnetic centers, in the case of saturated paramagnetic resonance. Spin-lattice relaxation is taken into account. Neglecting the angular dependence of the diffusion coefficient the average polarisation is found to be $\sim \frac{T_1}{T_2} \frac{n}{N}$ in the case $\frac{n}{N} \ll 1$ (T_1, T_2 are the spin-lattice and spin-spin relaxation times, respectively, n = concentration of centers, N = number of nuclei per unit volume). The existence of an optimal value of n is discussed.

A.M. KOSEVICH: Dislocation Theory of Hysteresis Phenomena in the Presence of Twinning and Slip in an Infinite Medium A dislocation model of hysteresis is discussed taking account of quasistatic twinning and slip. The hysteresis arises from a stopping force which acts upon a dislocation moving in a twinning plane (or glide plane). The stopping force is assumed to include a component analogous to a friction force which is directed opposite to the movement of the dislocation. A slip line of infinite length produced by a local concentration of stress in an infinite crystal is shown to be preserved after the stress has been removed. The behaviour of a twin formed under these conditions (after the removal of the stress) is found to be determined by the ratio of the length of the twin interlayer to the surface tension: a long twin possessing a low surface tension will be preserved, a short twin possessing a high surface tension will be destroyed.

A.A. VOROBEV, G.A. VOROBEV, and N.M. TORBIN: Processes of Discharge Formation in Solid Dielectrics The electric breakdown of NaCl, KCl, and KBr crystals (several mm thickness) has been studied. Voltage was applied to a plate-point pair of electrodes. If the point is negative higher breakdown voltages and time lags are obtained than if the point is positive. This is thought to be due to an avalanche breakdown mechanism in the crystals investigated. The pre-breakdown current is found to be 10^{-4} to 10^{-3} A, and the current density 10^4 to 10^5 A/cm^2. The current is higher for a negative point and for crystals possessing large lattice energy. From a calculation of the formation energy of the discharge, it is concluded that "incomplete" breakdown accompanied by local melting occurs in the crystals investigated. The radius of the "streamer channel" is estimated to be 10^{-4} cm. A channel temperature of several thousand degrees is obtained from an estimate based on a study of the light emission of the channel. Thermal ionisation is thought to be possible.

V.N. NOVOGRUDSKII and I.G. FAKIDOV: Hall Effect in Metamagnetic $MnAu_2$ The Hall e.m.f. of $MnAu_2$ is shown to deviate from the expected value above as well as below the critical magnetic field. The additional e.m.f. is attributed to the magnetisation of the samples. The pertaining component of the Hall coefficient is found to rise with temperature.

A.G. SAMOILOVICH, I. YA. KORENBLIT, I.V. DAKHOVSKII, and V.D. ISKRA: Anisotropic Scattering of Electrons by Ionised Impurities and Acoustical Phonons A technique developed in (1) is applied to study the anisotropic scattering of electrons by impurities and acoustical phonons. The non-equilibrium part of the distribution function is expanded in terms of spherical harmonics. For impurity scattering, it is found sufficient to consider only two spherical harmonics in the case of maximum anisotropy. The tensor of relaxation time is obtained. The scattering by acoustical phonons can also be described by a relaxation time tensor in the usual sense. This tensor is calculated for Ge, Si, and Bi_2Te_3.

(1) A.G. SAMOILOVICH, I.YA. KORENBLIT, I.V. DAKHOVSKII, and V.D. ISKRA, F.T.T. 3, 2939 (1961)

A.N. MURIN, B.G. LURE, and YU.P. TARLAKOV: Conductivity and Self-Diffusion of Silver in Silver Iodide at High Pressures The contribution to conductivity, and the diffusion coefficient, of marked cations (Ag^{110}) in silver iodide is studied in a large temperature range, at pressures up to 6,000 kg/cm^2. The measured diffusion coefficients are found to be considerably higher than those obtained by means of the Einstein relation. This discrepancy is thought to be due to ring diffusion, which is especially probable in the case of the high-temperature modification α-AgI.

V.F. ZOLOKAREV and D.N. NASLEDOV: Photomagnetic Effect in p-Type InSb at Room Temperature The photomagnetic effect (PME) in p-type InSb is investigated at room temperature, in magnetic fields 600 to 16,000 oersteds. The impurity concentrations vary between 1.2×10^{16} and 1.3×10^{17} cm^{-3}. The electron mobility determined from these measurements on the basis of the phenomeno logical theory of the PME is found to differ from the Hall effect value, the difference depending on the acceptor concentration. The variation of the ambipolar diffusion length with magnetic field strength is studied. This variation does not determine the field dependence of the PME short-circuit current complctcly. It is suggested that a theory based on the kinetic equation for the current would give better agreement with experiment than does the phenomenological theory. The hole mobility is found to be not smaller than 1700 cm^2/Vs at room temperature, which is closer to the theoretical value of 3600 cm^2/Vs than the experimental data given in literature (750 cm^2/Vs). The sign of the PME is found to change if a thin sample is illuminated through a (mechanically or electrically) polished face. This is related to light absorption in the bulk of the sample.

G.F. KHOLUYANOV: Light Emission during Breakdown of Silicon Carbide p-n Junctions The spectral distribution of the radiation emitted from alloyed p-n junctions in α-SiC during breakdown is measured for quantum energies between 1.2 and 5.8 eV, at various temperatures and excitation levels.

A.V. RZHANOV and I.G. NEIZVESTNYI: Influence of an Adsorption of Molecules on Germanium on the Parameters of Surface Recombination Centers The adsorption of polar ether molecules on a Ge surface is found to change significantly the ratio of the capture cross section for holes to that for electrons. This result is used to explain the earlier observation that Ge surface centers are neutralised during the adsorption of water.

S.I. RADAUTSAN and B.E.-SH. MALKOVICH: Some Electrical Properties of Indium Arseno-Selenides An investigation is made of conductivity and Hall coefficient of $InAs-In_2Se_3$ solid solutions as functions of composition. At low concentrations of the selenide, a sharp increase of conductivity due to an increase of carrier concentration is obtained with rising In_2Se_3 concentration. A monotonic decrease of conductivity and carrier concentration is observed when adding more selenide. The electron mobility is shown to decrease in the whole range from InAs to the stability limit. A homogenisation of the alloys can be achieved by heat treatment under pressure. This is found by studying the temperature dependence of the conductivity of $2InAs \cdot 3In_2Se_3$.

N.I. IBRAGIMOV and A.A. KULIEV: Electrical Transport of Thallium in Polycrystalline Selenium The temperature dependence of the mobility of thallium ions in polycrystalline selenium is studied between 100 and 215° C by means of the radioactive isotope Tl^{204}. The diffusion coefficient obtained can be expressed in the form $D = 2.9 \times 10^{-3} \exp\left(-\frac{0.73\ eV}{kT}\right)\ cm^2/sec$. The diffusing thallium is found to be in the state Tl^{3+}. A discussion of the results is given.

L.L. BUISHVILI: Quadrupole Relaxation of Nuclei in Ferrodielectric Substances A calculation is carried out of the probabilities of transitions giving rise to quadrupole relaxation in ferrodielectric substances.

E.I. ADIROVICH and E.M. KUZNETSOVA: Possibility of an Inverse Distribution of Electrons in Degenerate Semiconductors A study is made of the conditions under which an inverse distribution of electrons over the energy bands ("negative temperatures") can be achieved. Possible values of currents and carrier concentrations are estimated.

A.P. KESSEL: Classical Theory of Nuclear Acoustical Resonance A classical description of the nuclear acoustical resonance can be given by means of a distribution function for the orientations of the nuclei. The distribution function is obtained from a kinetical equation, and is used to calculate the absorption coefficients, line shapes, and the sound-induced nuclear magnetisation.

M.S. KOSMAN and S.M. GORODETSKII: Long-Time Changes of the Contact Potential of Some Metals under the Action of Light The long-time changes of the contact potential of Al, Mg, and Zn after illumination are studied. The results are in agreement with the model of KINGSTON and MC WHORTER (1) which has been improved by ABKEVICH (2). This model is found to be applicable to metal surfaces covered with an oxide film. The changes in the relaxation curves appearing after the adsorption of water vapour are explained on the basis of this model.

(1) R.H. KINGSTON and A.L. MC WHORTER, Phys. Rev. 103, 534 (1956)
(2) T.I. ABKEVICH, Doklady Akademii Nauk SSSR 127, 1199 (1959)

V.M. KOZLOVSKAYA and R.N. RUBINSHTEIN: Calculation of the Solubility and Vapour Pressure for Semiconductor-Impurity Systems Solidus curves and vapour pressures are calculated for semiconductor (Ge, Si) - impurity systems using experimental data, viz., the values of the segregation coefficients at the melting point of the semiconductor, and the liquidus curves. As the liquidus curves of many systems are found to be well approximated by the equations obtained from the theory of regular solutions it is assumed that the liquid phase can be treated as a regular solution, and that the solid solution is largely dilute. Solidus curves are calculated for the systems Ge-Al, Si-Al, Ge-Sb, Si-Sb, Ge-Ga, Si-Ga, Ge-In, Si-In, Ge-Bi, and Ge-Tl.

V.D. VERNER, B.N. FINKELSHTEIN, and A.V. SHALIMOVA: Investigation of the Behaviour of Nitrogen in F.C.C. Iron Alloys by the Internal Friction Technique The temperature dependence of the internal friction is investigated with the nitron-saturated alloys Fe + 30 % Ni, Fe + 20 % Ni + 9 % Mn, and Fe + 28 % Mn. A peak of the internal friction is observed between 265 and 280° C, which is attributed to a stress-induced diffusion of the nitrogen atoms.

D.F. KALINOVICH, I.I. KOVENSKII and M.D. SMOLIN: On the

Determination of the Partial Velocities of Electrotransport by means of Labelled Atoms A technique is discussed by means of which it is possible to determine the partial electrotransport velocities of the components of a metallic alloy.

S.A. FEDULOV and YU.N. VENEVTSEV: Investigation of the Structure and Dielectric Properties of (Pb, Sr)(Ti, Zr) O_3 Solid Solutions $PbTiO_3$-$SrZrO_3$ solid solutions of varying composition have been prepared. Permittivity, conductivity and dielectric losses are investigated as functions of temperature. Using the results of these measurements and X-ray data a part of the phase diagram of the system is constructed.

A.N. GUBKIN and E.A. MILSHINA: Role of the Residual Polarisation in the Electret Effect Experimental results are given which are found to agree with conclusions drawn from the phenomenological theory of the electret effect.

YU.YA. GOTLIB and O.B. PTITSYN: Theory of the Annealing of Glasses as a Cooperative Process A theory of annealing is presented which is based on the method of partial distribution functions developed by VOLKENSHTEIN and the authors (1). The relaxation of the structure of the liquid due to a change of the specific volume is related to the "absorption" and "evaporation" of holes in the surface layer. The cooperative character of these processes manifests itself in the variation of the activation energies with the number of holes. The calculation is carried out in the "multiplicative" approximation for the case in which only the kinetic properties have cooperative character. For isothermal annealing, the volume relaxation time τ is found to depend exponentially on the sample volume (in the absence of cooperative processes τ is a function only of temperature). This dependence on the volume is in agreement with experimental data (2, 3). A discussion is also given of the enthalpy relaxation for the case of isothermal annealing. The relaxation time is shown to be an exponential function of the deviation of the enthalpy from the equilibrium value, for a given temperature. Such a dependence has been observed experimentally by VOLKENSHTEIN and SHARONOV (4).

(1) M.V. VOLKENSHTEIN, YU.YA. GOTLIB, and O.B. PTITSYN, F.T.T.

3, 420 (1961)
(2) E.V. KUVSHINSKII and A.V. SIDOROVICH, Bysokomolekulyarnye Soedineniya (Macromolecular Compounds), 1961
(3) A.J. KOVACS, J. POLYMER, Sci. 30, 131 (1958)
(4) M.V. VOLKENSHTEIN and YU.A. SHARONOV, Bysokomolekulyarnye Soedineniya (Macromolecular Compounds), 1961

I.L. SOKOLSKAYA and N.V. MILESHINA: Field Emission from Thin Germanium Films on Tungsten An electron-microscopical study is made of the field emission from Ge films evaporated on a tungsten point. The migration of the Ge atoms which occurs during heat treatment is investigated; a coherent Ge film is found to be preserved also in the case of small portions of evaporated Ge. The migration leads to a decrease of the emission which is not due to an increase of the work function as observed with metallic covers. This is explained in terms of the particuliar properties of the conctact between a metal and a semiconductor layer whose thickness is smaller than the Debye length.

KH. NOIMANN: On the Theory of the Field Emission from a Metal Covered by a Thin Semiconductor Layer The density of the field emission current from a metallic emitter covered by a thin semiconductor layer is calculated assuming that the potential near the metal surface can be represented as: potential of the pure metal + an additional potential barrier due to the surface layer. The emission current is obtained as a function of the height and the width of the barrier. Numerical results are given for a special case.

T.I. KOMOLOVA and D.N. NASLEDOV: Investigation of Static Current-Voltage Characteristics of Rectifiers Prepared from Semiconducting Titanium Dioxide The current-voltage characteristics of rectifying TiO_2 cells are studied in the temperature range -196 to 240° C.

S. MAMAEV D.N. NASLEDOV, and V.V. GALAVANOV: Electrical Properties of the Semiconducting Solid Solutions $xCdSnAs_2$-y(2InAs). Measurements are carried out of the conductivity and the Hall coefficient R of 14 solid solutions having different compositions, in the temperature range 77 to 950° K. P-type conduction is found for the compositions 1:4, 1:5, 1:9, 1:99, and 1:399, and n-type conduction for the compositions 1:0, 5:1, 3:1, 2:1, 1:1, 4.5:5.5, 2:3, 1:2, and 1:3. σ and R are independent of temperature at low temperatures, and follow an exponential law at high temperatures. The band gap determined from these measurements is found to vary with composition from 0.2 eV to 0.4 eV. At 300° K, carrier concentrations are obtained between 4.4×10^{18} and 1×10^{19} cm^{-3} for all compositions except zone-levelled $CdSnAS_2$ (4.4×10^{17} cm^{-3}). The electron mobility is found to be 5800 cm^2/Vs in the other n-type samples. It is pointed out that, in all samples investigated, the sign of R does not change during the transition from impurity to intrinsic conduction.

Z.S. GRIBNIKOV: <u>Distribution Function of Current Carriers in Ideal p-n Junctions</u> The distribution function F of carriers in ideal p-n junctions can be represented as $F = F_0 + jF$ (F_0 = equilibrium distribution, $j \sim$ total current, f = a distribution of carriers possessing an increased mean energy $\bar{\varepsilon}_1$ ("hot" subsystem)). The function f is calculated in the "diode" approximation. The carrier gas is found to be heated in the case of reverse currents and to be cooled in the case of forward currents, which is a consequence of the inequality $\bar{\varepsilon}_1 > \frac{3}{2} kT$. An expression for the thermal emission current from the junction is derived neglecting specific surface effects.

L.K. VODOPYANOV and E.A. KONOROVA: <u>Electrical Properties of Neutron-Irradiated $SrTiO_3$ Single Crystals</u> Permittivity, dielectric losses, conductivity, and optical absorption in the visible and infrared region are investigated with $SrTiO_3$ crystals irradiated with high flows of slow neutrons.

V.G. EROFEICHEV: <u>Temperature Dependence of Photoconductivity and Lifetime in PbS Layers at a Frequency of 10^{10} cps</u> The relative photoconductivity $\frac{\Delta\sigma}{\sigma}$ measured at 10^{10} cps is found to differ significantly from the d.-c. value, at low temperatures. The same temperature dependence of the lifetime is observed in the two cases. From the results it is concluded that the height of the intercrystalline barriers is decreased on illumination, and a secondary photocurrent appears.

S.A. DANIDENKO and K.B. TOLPYGO: <u>Normal Vibrations of</u>

lkali-Halide Crystals Containing Ions of Different Size
. discussion is given of the dynamical equations of binary cu-
ic crystals the ions of which differ significantly in size.
he frequency spectrum of a NaI crystal is calculated in three
pproximations: i) on the basis of the elementary theory (1)
aking into account, in addition, the deformability of the
ons, ii) allowing, in addition, for short range forces bet-
een I^- ions and iii) for a deviation of the ion charges from
. Complete agreement with experiment is obtained only in the
hird case. The approximation i) is shown to be formally equi-
alent to the theory of WOODS, COCHRAN, and BROCKHOUSE (2).
discussion of the results is given.

1) K.B. TOLPYGO, F.T.T. 1, 211 (1959)
2) A.D.B. WOODS, W. COCHRAN, and B.N. BROCKHOUSE, Phys. Rev. 119, 980 (1960).

S.V. TYABLIKOV: Method of Green's Functions in the Adiabatic Approximation The interaction of a particle (or of a system of particles) with a quantum field is studied in the adiabatic approximation, by means of Green's functions. Results of the adiabatic perturbation theory are generalised to temperatures above absolute zero.

N.B. BRANDT and N.I. GINZBURG: Investigation of the Crystalline Modifications of Bismuthum and Some Problems Arising in the Techniques of High Pressure at Low Temperatures A technique is developed by which uniform pressures up to 30,000 kg/cm can be produced at temperatures down to 1.6° K. An investigation is made of the two modifications Bi II and Bi III which are superconducting.

A.I. MOROZOV and S.G. KALASHNIKOV: Trapping Phenomena in Germanium Containing Zinc The photomagnetic effect and the photoconductivity of n-type Ge containing Zn are investigated. The Zn atoms are found to act as trapping centers for holes, but practically do not affect the recombination. This is due to the fact that the capture cross-section for holes, $S_p^{=}$, is much larger than that for electrons, S_n^-, the absolute value of S_n^- is very small ($< 1 \times 10^{-20}$ cm^2 ar 90° K), and the zinc levels lie close to the valence band.

V.I. AVDEEV: Influence of Acceptor Impurities on the Relaxation Velocity of Donor Electrons in Semiconductors The relaxation of a donor electron due to its hyperfine interaction with the impurity nucleus is studied theoretically in the case of a semiconductor containing acceptors. The relaxation time is found to be $\sim T^{-5}$ and to be independent of the nature of the acceptor.

E.A. SIDOROVICH and E.V. KUVSHINSKII: Investigation of the Shock Compression of Rubbers The stress appearing in rubber cylinders during axial compression is measured by means of a piezoelectric dynamometer. The sudden rise of stress which occurs at the beginning of the shock in the case of the Kelvin body is not observed for all samples investigated. The stress-time oscillographs are found to agree with the curves derived for the Maxwell body.

YA.N. PERSHITS: Aging and Regeneration of Ceramics Containing Titanium The current changes occurring during the aging and regeneration of ceramics containing titanium show the same behaviour as the current changes which accompany the introduction of electrons or impurity ions into alkali halide crystals. From the experimental results it is concluded that the regeneration involves a displacement of clouds of current carriers within the crystal grains, and of a cloud of ions (moving from electrode to electrode) at high temperatures.
A technique is proposed by which one can determine the mobility and the concentration of the carriers taking part in the aging process.

V.I. LUSHCHIKOV, A.A. MANENKOV, and YU.V. TARAN: Dynamical Polarisation of Protons in Irradiated Polyethylene An experimental investigation is made of the dynamical polarisation of protons in polyethylene irradiated with fast neutrons. A twenty-fold increase of the polarisation (corresponding to a polarisation degree of 0.45 %) is obtained in a magnetic field of 3500 oersteds, at 1.6° K. The electronic and the nuclear spin-lattice relaxation time is measured at 1.6 and 4.2° K.

B.G. ZHURKIN, V.S. ZEMSKOV, and K.V. YURKINA: Hall Mobility of Electrons in Heavily Doped n-Type Germanium The

Hall mobility of electrons in Ge is investigated for donor concentrations up to the order of 10^{19} cm^{-3} and is found to be larger in Sb-doped crystals than in As-doped crystals. The mobility values differ by the factor 2 for impurity concentrations near 10^{19} cm^{-3} . This difference is related to impurity-induced changes of the electron effective mass. Allowing for impurity and lattice scattering, the effective mass is estimated to vary from 0.19 m to 0.30 m for Sb concentrations 5×10^{17} to 2.5×10^{19} cm^{-3}, and from 0.195 m to 0.52 m for As concentrations 5×10^{17} to 5×10^{19} cm^{-3}. Electron-electron collisions are not taken into account because of the degeneracy of the electron gas.

A.I. STEKHANOV and E.V. CHISLER: Temperature Dependence of the Intensity of Raman Spectra of Crystals By a photoelectric technique, the temperature dependence of the intensity of Raman lines is measured for quartz, calcite, and fluorite crystals between 77 and 700° K. For several lines a considerable discrepancy between theory and experiment is obtained, which is discussed in terms of lattice distortions.

E. GRILLOT, E.F. GROSS, M. BANCIE-GRILLOT, and B.V. NOVIKOV: Various Types of the Spectral Response Curves of Pure CdS The effect of preparation conditions, sample thickness, and light polarisation on the structure of the spectral response curve of pure CdS crystals is studied at 77° K.

L.S. PALATNIK and A.A. LEVCHENKO: Quenching of Vacancies under the Action of a Spark Discharge An X-ray investigation is made of the change of the lattice parameter of Cu, Au, and Ag after exposure to a spark discharge. A decrease of the lattice parameter is found for all metals (Cu: 0.085 %, Au: 0.095 %, Ag: 0.07 %), which is assumed to be due to the quenching of vacancies. The high value of the vacancy concentration estimated is explained by the rapid cooling from temperatures above the melting point.

List of Short Notes

Page

PRIERE d'adresser toute correspondance au

physica status solidi, Berlin C 2, Neue Schönhauser Str. 20

ou

Buchhandlung Hermann Nold, Berlin-Lichterfelde West, Drakestr. 39.

Ce Journal est destiné à la publication des résultats de la recherche fondamentale dans le domaine entier de la Physique de l'Etat Solide.

Il paraîtra le Ier. de chaque mois.

Il comportera:

1. Des exposés d'ensemble de mise au point sur les questions d'actualité de la Physique du Corps solide proposées par la Rédaction du Journal.
2. Des travaux originaux, n'ayant pas été ni ne devant pas être publiés ailleurs, contenant des résultats nouveaux, acceptés par la Rédaction du Journal (reçus au plus tard le 8 de chaque mois et paraissant dans le fascicule 50 jours après).
3. Des courtes communications de résultats importants de recherche, paraissant sous la responsabilité personelle de l'auteur sous forme de fascicules domplémentaires dephoto-reproductions, annexé au Journal aussi rapidement que possible (reçus au plus tard le 12 de chaque mois et paraissant dans le fascicule 16 jours aprés).
4. Prétirage des titres et résumés des travaux originaux devant paraitre dans le fascicule suivant de ce Journal ainsi que ceux en cours d'impression dans „Fizika tverdovo Tela" (le derniers, traduits en anglais).

Recommandations aux auteurs

Les manuscrits seront acceptés et publiés en français, allemand, anglais et russe.
Les auteurs sont priés:

1. de présenter les manuscrits écrits à la machine en recto seulement, avec double espacement dans le format DIN A 4, avec une marge d'au moins 3 cm.
2. d'indiquer le nom et les initiales des prénoms des auteurs, ainsi que le lieu d'origine du travail.
3. de joindre un court résumé du travail d'au maximum 10 lignes, si possible aussi dans une langue autre que celle dans laquelle il est rédigé.
4. de dessiner les croquis et figures sur des feuilles séparées et les photographies (seulement pour les parties 1 et 2 du Journal) sur papier blanc.
5. d'envoyer sur une feuille séparée le fac-similé de la signature.
6. dans le cas de souhaits particuliers relatifs à la grandeur des Figures, le noter expressément sur chacune d'elle.
7. Joindre de même sur une feuille séparée les références bibliographiques dans l'ordre cité, rédigées dans l'ordre suivant: abréviation du périodique numéro du tome (souligné), numéro de Page et (entre parenthèses) année de publication.

Pour les parties 1 et 2 du Journal, deux corrections d'épreuves seront adressées aux auteurs. Les corrections des parties 3 et 4 seront effectuées par la Rédaction.

Pour les travaux originaux et les courtes communications, il sera délivré gratuitement 75 tirés à part aux auteurs. Les exposés d'ensemble seront rétribués; en outre, l'auteur recevra gratuitement 25 tirés à part.

Указания авторам появляются на русском языке в следующем номере.

Letters and manuscripts should be sent to

physica status solidi, Berlin C 2, Neue Schönhauser Str. 20

or

Buchhandlung Hermann Nold, Berlin-Lichterfelde/West, Drakestr. 39.

The object of this periodical is to publish original work in the general field of solid state physics. Each issue will be published on the first day of the month. Items published will fall into the following categories:

1. Review articles by arrangement with the editor.
2. Original papers, not submitted for publication elsewhere. (Contributions should be sent in by the 8 th day of each month, 50 days before the delivery of the journal).
3. Short notes on important results of research. These will be published rapidly in a photographically reproduced supplement of the periodical and are under the exclusive responsibility of the author. (Manuscripts for this part should be sent in by the 12 th day of each month, 16 days before the delivery of the journal).
4. Pre-printed titles and abstracts of original papers to be published in this or in the Soviet journal „Физика Твердого Тела“ (Fizika Tverdogo Tela), the latter translated into English.

Editorial Information

Manuscripts may be submitted in German, English, French and Russian. Authors are asked to observe the following rules:

1. Manuscripts should be typewritten on one side only, and in double spacing. A margin of at least 3 centimetres, and a page size of about 20 by 30 centimetres are desirable.
2. The author's name, initials and institution should be given.
3. An abstract of about ten lines, and, if possible, a translation of it into one of the above languages is required.
4. Drawings, in pencil if necessary should be enclosed on separate sheets of paper; photographs should be submitted, on white paper, only for parts 1. and 2.
5. Captions for the figures should be submitted on separate sheets of paper, and special wishes with regard to the size of illustrations should be indicated on these.
6. References should be numbered in order of appearence and should be given on a separate sheet. Abbreviations should follow Periodica Chimica or the Physikalische Berichte. The number of the volume should be underlined, and should be followed by the number of the page. The year of the publication should be given in brackets.

The authors will be sent two galley proofs in the case of items in categories 1. and 2. Proof reading of items in categories 3. and 4. will be done by the editorial staff.

A total of 75 reprints of original papers and brief communications are available to authors free of charge. Review articles will be remunerated, and authors will receive in addition 25 reprints free of charge.

Diese Hinweise erscheinen im nächsten Heft in deutscher Sprache.

FSC
www.fsc.org
MIX
Papier | Fördert
gute Waldnutzung
FSC® C083411

Zeitfracht Medien GmbH
Ferdinand-Jühlke-Straße 7
99095 Erfurt, Deutschland
produktsicherheit@kolibri360.de